齋藤 孝

これでカンペキ!

基本は身についたはず…
あとは応用すればいいんだよね
1
2
3
4
5
ごくり

マンガでおぼえる

読解力があがる 対義語・類義語

岩崎書店

はじめに

「対義語」とは、言葉の意味が反対の関係、あるいは対になる関係（二つそろって一組になる）にある言葉のこと。

「類義語」とは、意味がにている言葉のことだよ。

「対義語」「類義語」というと、むずかしいと思うかもしれないけれど、「成功」の対義語は「失敗」だし、「水平」の類義語は「平行」だから、キミもふだんから使っている言葉がたくさんあるよ。


なぜ対義語が重要かというと、対義語によって二つの考え方ができるからなんだ。たとえば、「理論」と「実践」という対義語を知っていると、「理論が大事」という考え方と「実践が大事」という考え方を比較することができる。

つまり、二つのものごとをてらしあわせるというのが、「考える（思考する）」ことの原点なんだ。

だから、対義語をたくさん知っていると、ものごとのとらえ方がふえていくことにもなるんだよ。

類義語が重要なのは、〝言いかえ力〟が身につくから。たとえば、クラスの係をそっせんして引き受ける友だちに、いつも「積極的だね」と言っていると、「また同じことを言っている……」と思われるかもしれない。

でも、「能動的」という言葉を知っていたら、べつの言葉で友だちをほめることができるよね。そして、どっちの言葉がよりしっくりくるかをくらべることができて、語いもどんどんふえるんだ。

この本では、あえて小学生にはちょっとむずかしい言葉も入れているよ。いま知っておくと、中学生、高校生、そして大人になってからもかならず役に立つからね。

さあ、ゆたかな言葉の世界にとびこもう！

人たちの紹介

りくとくんのかぞく

りくとくんの
おにいちゃん（小6）
はんこうき

りくとくんの
ママ

りくとくんの
パパ

KAERU

りくとくん（小4）
カエルが大好き！
運動と勉強はニガテ

だいふく　ケロ

近くに住むおじいちゃんと
おばあちゃん

ヒトシくん（小4）
頭がよくて、
ハカセキャラ

ゆいちゃん（小4）
おっとりしてるけど、
しっかり者

カンタ（小4）
くいしんぼう

リョースケ（小4）
サッカー少年

カトウさん（小4）
まがったことは大きらい

まきちゃん（小4）
正義感とすもうが強い

ないとうくん（小4）
すごくおとなしい。
なぞが多い

この本に登場する

齋藤先生

ヒトシくん母
教育ママ

ゆいちゃん母
おっとり

カンタ母
弟がふたり

リョースケ父
サッカーコーチも
している

カトウさん父
母（右）と姉（左）は
おしゃれ大好き

まきちゃん母
兄もすもうが強い

校長先生

理科の先生

図工の先生

たんにんの先生

もくじ

●二字熟語の対義語と類義語

類義語はページの中にあるよ！

三字熟語の対義語と類義語

カトウさんは几帳面だね
カンタが大雑把すぎるんだよ

四字熟語の対義語と類義語

●カタカナ語の対義語と類義語

●そのほかの対義語

この物語の見どころは主人公の**モノローグ**だよね
ヒロインとの**ダイアローグ**もいいよ

この本の使い方

同じページに、対義語と類義語が出てくるよ。どれもそれぞれ関係のある言葉なので、まるごと全部おぼえよう。

対義語

たがいに反対の意味をもつ言葉が対になっているよ。まず、この対になった二つの言葉をいっしょにおぼえよう！

類義語

ここにはそれぞれの言葉の類義語が書かれているよ。類義語は意味がにているけれど、細かいところでは、ちょっとちがう言葉のこと。知っていれば、文章を読むときに正確に意味をとらえることができるし、書くときに言葉の使い分けができるよ。

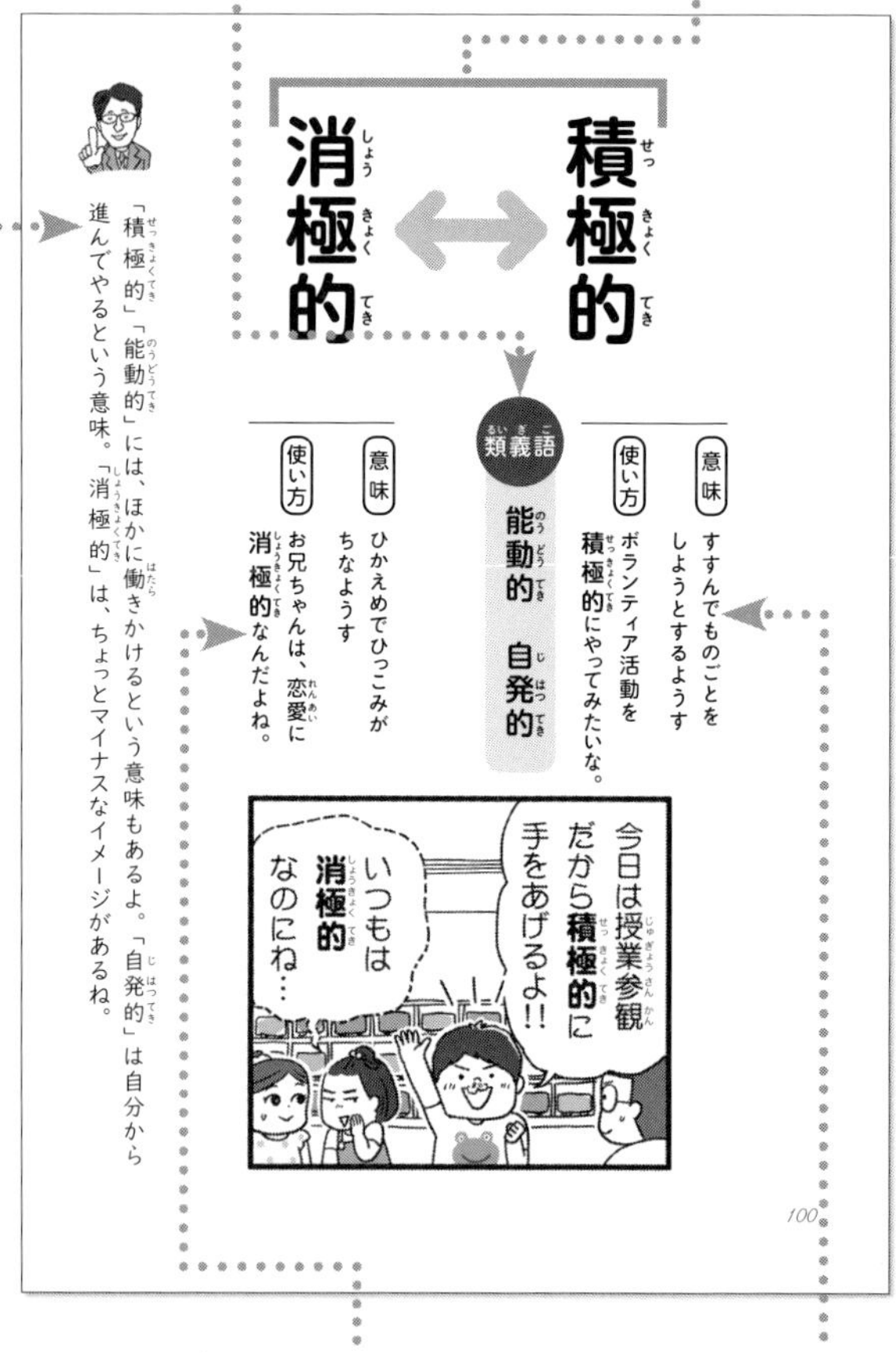

積極的
消極的
意味
すすんでものごとをしようとするようす
使い方
ボランティア活動を積極的にやってみたいな。
類義語
能動的　自発的
意味
ひかえめでひっこみがちなようす
使い方
お兄ちゃんは、恋愛に消極的なんだよね。
「積極的」「能動的」には、ほかに働きかけるという意味もあるよ。「自発的」は自分から進んでやるという意味。「消極的」は、ちょっとマイナスなイメージがあるね。
今日は授業参観だから積極的に手をあげるよ!!
いつもは消極的なのにね…
100

齋藤先生のワンポイントアドバイス

ここを読めば、より理解が深まるよ！

意味

一つの言葉でも、いくつかの意味をもつことがある。確認しよう。

使い方

ここは声に出して読もう。何度も読めば自分の言葉になって、使いたいときにすらすらと出てくるようになるよ！

二字熟語の対義語と類義語

記憶にございません
忘却のかなたです

一般  特殊

一般

意味　広く行きわたっていること、当たり前のこと

使い方　この建物は、**一般**に公開されているよ。

類義語　普遍　普通

特殊

意味　ふつうとちがうこと

使い方　あの人は**特殊**な訓練を受けている。

類義語　特別

あの人は特殊な才能があるな
一般の人とはちがうよね

「一般化」「一般的」「一般人」といった使い方をするよ。特殊は「特殊訓練」「特殊部隊」のように使うとなんかカッコイイよね。

延長（えんちょう） ⟷ 短縮（たんしゅく）

延長

意味　長さや時間（期間）をのばして長くすること

使い方　この勉強はあそびの**延長**みたいだ。

短縮

意味　距離や時間をみじかくすること

使い方　明日のマラソン大会は、コースを**短縮**しよう。

駅前図書館
開館時間延長のお知らせ
よかった〜
短縮されたらこまるよ

「延長戦」「延長コード」、「短縮授業」「短縮ダイヤル」のように、ほかの言葉をくっつけて使うこともあるね。ちなみに、平安時代には「延長」という元号があったよ。

円満（えんまん）⟷ 不和（ふわ）

意味
満ちたりていること、おだやかなこと

使い方
円満に解決できて、よかったね。

意味
仲が悪いこと

使い方
家庭**不和**が長引くとよくないね。

類義語
不仲　不合

ウチは夫婦円満だね
この間、ケンカして不和だったけどね…

「円満」は、「円満な人柄」と言うように、人に対しても使うよ。「夫婦円満」「円満退社」などとも言うね。「不和」は「不和を生じる」「不和をまねく」などと使うよ。

革新 ⇔ 保守

革新

意味　古い習慣や体制を、新しいものに変えること

使い方　革新的な精神で新しいことにチャレンジ。

類義語　改新　変革

保守

意味　伝統を守ること、正しい状態を維持すること

使い方　こんどの選挙では、保守勢力が強そうだ。

選挙ポスター

保守派か革新派か…

さて、お父さんはどちらに一票とうじるのかな？

「革新的」「保守的」という形でよく使われるね。政治において、一般的には「保守勢力」とは与党（政権をもつ党）のこと、「革新勢力」は野党（政権をもたない党）のことを言うよ。

拡大（かくだい）⟷縮小（しゅくしょう）

意味　広げて大きくすること、大きくなること

使い方　画面を**拡大**すると、もっとよく見えますよ。

意味　ちぢめて小さくすること、小さくなること

使い方　今年の運動会は、きぼを**縮小**して行おう。

こうすれば縮小も拡大もかんたんだよ
えっもう一回やって!?

「拡」は広げる、「大」は大きいという意味で、「縮」はちぢめる、「小」は小さくという意味。「拡・縮」「大・小」もそれぞれ対義語（たいぎご）だね。

義務 ⟷ 権利

義務

意味
その立場として、やらなくてはならないこと

使い方
義務をはたすのは大事なことだよ。

権利

意味
自分の意思でものごとを行える資格

使い方
だれにでも幸せになる権利がある。

キミたちには教育を受ける権利があり
親は子どもを学校に通わせる義務があるんだよ
遊ぶ義務だけでいいのに!!

親が子どもを学校に通わせるのは「義務」、子どもが学校に通うことは「権利」だよ。キミが学ぶことは、「義務」ではなく「権利」だっていうことをおぼえておこう！

需要 ⟷ 供給

需要

意味
必要なものを求めること

使い方
この商品は、とても**需要**があるね。

供給

意味
必要とされるものをあたえること

使い方
このひなん所に物資を**供給**してほしい。

今日は**需要**が多くて**供給**がおいつかないよ

氷

需要は「ニーズ」、供給は「サービス」と言うね。需要と供給はものの値段と関係があって、需要が供給を上回ると値段が上がり、供給が需要を上回ると値段が下がるよ。

許可  禁止

許可

意味 ゆるすこと

使い方 退院の**許可**がおりてよかった。

類義語 認可

禁止

意味 やめさせること、ゆるさないこと

使い方 部屋への立ち入り**禁止**！

類義語 禁制　法度　不許可

ここは進入**禁止**だよ！

進入禁止

なんとか**許可**してもらえませんか

この先にめずらしいカエルがいるんですっ

「かんべんする」も「許す」に近い言葉で、誤りをとがめない、容赦する、手加減する、という意味。寛大な心で許すことは「寛恕」と言って、あらたまった文章で使う言葉だね。

形式（けいしき） ⟷ 内容（ないよう）

意味 しかた、見かけ、決まっている形

使い方 形式ばったあいさつでは、仲よくなれない。

意味 ものの中にあることがら、文や話の意味

使い方 作文には、どんな内容を書こうかな。

類義語 実質

学芸会
それでは本日の学芸会を…
学芸会は内容も形式も大事なんだね

「形式」の同音異義語（同じ音でちがう意味の言葉）の「型式」は、自動車や飛行機の型やモデルのこと。「内容」は大事なもののことで、「中身」はただ中に入っているもののことだよ。

結果 ⟷ 原因

結果

意味　あることが終わること、あることがもとで起こったこと

使い方　努力した結果が出た。

類義語　結実　結局

原因

意味　あるものごとや状態のもと

使い方　病気の原因を知りたいよ。

類義語　起因　基因　起源　理由

この結果を見るかぎり原因は…

「結果」はいい結果にも悪い結果にも使われるよ。「原因」はよくないことに使うことが多いね。「成功の原因」とは言わず、「成功の要因」と言うよ。「げいいん」と読まないように注意！

基本（きほん）⟷ 応用（おうよう）

意味　ものごとのおおもと、土台

使い方　勉強は**基本**をおさえるのが大事だよ。

類義語　基礎（きそ）　基準（きじゅん）

意味　原理（げんり）や知識（ちしき）をほかのことにあてはめること

使い方　この公式を**応用**して考えてみよう。

基本は身についたはず
あとはそれを応用すればいいんだよね…
1
2
3
4
5
6
ごくり

「基礎（きそ）」は最初（さいしょ）の段階（だんかい）のこと、「基準（きじゅん）」はものごとのもとになるめあて、「基盤（きばん）」はものごとがなり立つもとになるものだよ。「応用（おうよう）」は応用問題（おうようもんだい）、応用力（おうようりょく）などと使うね。

現実 ⟷ 理想

現実

意味 今、事実としてあらわれていること

使い方 社会人になると、**現実**のきびしさがわかるね。

類義語 実際

理想

意味 これ以上はないという状態、のぞましい状態

使い方 **理想**の先生に出会えた気がするよ。

理想↓
現実↙
本のとおりにやってるのにうまくできない！
Make UP!
1
2
3

バーチャルリアリティーは「仮想現実」とやくすね。実際にありそうもないことは「現実ばなれ」。明治十年代後半から、文学の世界で「理想と現実」と、対で使われるようになったよ。

支出（ししゅつ） ⟷ 収入（しゅうにゅう）

意味
お金を支払うこと

使い方
支出はほどほどにしたい。

類義語
出費　出金

意味
お金が入ってくること

使い方
今月の収入は、先月より多いかもしれない。

類義語
所得

支出が収入をこえないようにしなければ…
おこづかい帳

国や自治体が一年間に支出するお金は「歳出」、一年間に入るお金は「歳入」だよ。「収入」ににた言葉の「所得」は収入から経費をさし引いた分だよ。

子孫(しそん) ⟷ 祖先(そせん)

意味 子と孫(まご)、その人の血を引いている人

使い方 あの人は、武士(ぶし)の**子孫(しそん)**だって。

類義語(るいぎご) **末流(まつりゅう)**　**後裔(こうえい)**

意味 その家の一代目の人、その家で生きている人より前の人

使い方 **祖先(そせん)**のはかまいりに行く。

類義語(るいぎご) **先祖(せんぞ)**

おじいちゃん、うちの**祖先(そせん)**てどんな人?
農業(のうぎょう)をしていたんだよ
子孫(しそん)も菜園(さいえん)やっとるしな
…

「子孫(しそん)」には、これから先も血筋(ちすじ)がつながっていく未来の人もふくまれる。「末裔(まつえい)」は、すでにほろびてしまった家の子孫(しそん)のこと。「先祖(せんぞ)」より「祖先(そせん)」のほうがあらたまった言い方だね。

消費 ↔ 生産

消費

意味
使ってなくすこと

使い方
うちはお米の**消費**も多いね。

類義語
費消

生産

意味
生活に必要なものを生み出すこと

使い方
北海道はじゃがいもの**生産**がさかんなんだよ。

類義語
産出

夏はアイスの**消費**がふえるわね

たくさん**生産**してほしいね

「消費する」は使うことでなくなるという意味で、にたような言葉の「費やす」にはムダにしてしまったというニュアンスがふくまれるよ。「生産」は生産量、生産技術などと使うね。

精神（せいしん） ⟷ 肉体（にくたい）

意味 心、気力、もととなる大切な意味

使い方 精神を集中させよう！

類義語 意識（いしき）　理念（りねん）

意味 人の体

使い方 運動をして、肉体をきたえよう！

類義語 肉身（にくしん）

これから毎朝（まいあさ）ランニングしよう！
肉体（にくたい）も精神（せいしん）も強くなるね！

「精神（せいしん）」は、「憲法（けんぽう）の精神（せいしん）」など、ものごとの大切な心がまえのような意味でも使われるよ。「肉体（にくたい）」よりも「体」という言葉をよく使うね。「身体（からだ）」はもう少しあらたまった言葉だね。

損失 ⇔ 利益

意味 うしなうこと、うしなったもの

使い方 株価が下がると**損失**が出るよね。

類義語 損害

意味 もうけ、ためになること

使い方 あの会社は**利益**を上げているんだって。

類義語 利得　利潤

〇〇会社は五千万円の**損害**を出し

この会社どうなるの？

たくさん**利益**を出すしかないね

「損失」は「あの人の死は社会の損失だ」と人についても言うよ。「損害」は、事故や事業の失敗によってお金をうしなうこと。「利益」は、得る、上げる、少ない、多いと使うよ。

当選（とうせん） ⟷ 落選（らくせん）

当選

意味：えらばれること、選挙でえらばれること

使い方：生徒会長の選挙に**当選**したよ！

落選

意味：えらばれないこと、選挙に落ちること

使い方：今回は**落選**したけど、次にまたがんばろう。

学級委員長、**当選**おめでとう！
ありがとう
前回の**落選**がいい勉強になったよ

絵画や書道などで「入選作品」と言うよね。「入選」は、選ばれて賞に入ることだよ。「当選」も「入選」も、対義語は落選だよ。

得意 ↔ 苦手

得意

意味　満足すること、すぐれていること

使い方　国語は得意科目だ。

類義語　得手

苦手

意味　うまくできないこと、いやな相手

使い方　苦手な科目をへらしたい。

類義語　不得手　不得意

守りは得意なんだけど、せめは苦手…
わたしはぎゃく！
どんどんせめるよ!!

「得意になる」と言うときは、ほこらしげという意味だよ。「お得意さん」とは、よく買ってくれる客のこと。「あの人は苦手だ」と言うときは、気があわない、いやな相手という意味だね。

独創（どくそう） ⟷ 模倣（もほう）

意味 まねでなく、自分の考えでものを生み出すこと

使い方 なんでも独創することは大事だよ。

意味 まねること、にせること

使い方 まずはうまい人の模倣をしてみよう。

類義語 真似（まね）

だれかの模倣はいやだから、独創しよう…
独創的すぎ!!

「創造」「創出」も、新しいものを作り出すという意味。「独創」には、オリジナリティーがあるという意味がくわわるね。まねをすることをけいべつして言う場合は「猿まね」と言うよ。

分析 ⟷ 総合

分析

意味

分解して、まとまった部分を分けて調べること

使い方

なぜ失敗したのか、**分析**してみよう。

総合

意味

べつべつのものを一つにまとめること

使い方

いろいろな情報を**総合**して考えてみよう。

類義語

総括

この失敗を**分析**すると…。

よし、そろそろみんなの意見を**総合**しよう！

ものごとをいくつかの要素に分けて考えることを「分析的」と言うよ。「総合」は、総合点、総合病院などと使うね。「総括」は、問題点をしぼってまとめるという意味があるね。

理論（りろん） ⟷ 実践（じっせん）

意味　すじみちの通った考え方のこと

使い方　キミの理論（りろん）も、よくわかるよ。

意味　じっさいに行うこと

使い方　その方法（ほうほう）をまずは実践（じっせん）してみよう。

類義語（るいぎご）　実行（じっこう）

ふむ、空をとぶ理論（りろん）はわかった

よし!! 実践（じっせん）してみよう!!

本気!?

「理論（りろん）」は考え方の全体のこと、「論理（ろんり）」は考えを進めていくすじみちのこと。「実践（じっせん）」には、よいと判断（はんだん）したことを行うという意味があるよ。

浪費（ろうひ） ⟷ 節約（せつやく）

浪費

意味　むだに使うこと

使い方　浪費はやめた方がいいと思うよ。

節約

意味　むだづかいをせず切りつめること

使い方　楽しく節約する方法を思いついた！

類義語（るいぎご）　倹約（けんやく）

水を節約したいけど
節水!!
これじゃ時間の浪費かも…
ちょろ～ちょろ

「散財（さんざい）」は、お金をたくさん使うこと。「浪費」は、お金だけでなく時間や労働（ろうどう）などにも使うよ。「節約」はお金以外にも使うけれど、「倹約」はお金のことについてだね。

自由（じゆう） ↔ 束縛（そくばく）

意味 思いどおりに行動できること

使い方 自由な時間がほしいよ。

類義語 自在（じざい）

意味 まとめてしばる、自由にさせないこと

使い方 束縛された生活はイヤだ。

類義語 不自由（ふじゆう）

あまり束縛しないで自由にしてあげたら？
え～
そうそう!!

英語の「フリー」は自由という意味で、どこにも所属（しょぞく）していないという意味で使われるね。「束縛（そくばく）」は行動を制限（せいげん）すること、「拘束（こうそく）」は自由に動けない状態（じょうたい）にしておくことだよ。

雑然  整然

雑然

意味　まとまりがないようす、きちんとしていない

使い方　雑然としたへやだけど、よかったら入って。

整然

意味　整っているようす

使い方　先生の研究室は整然としていたよ。

同じへやとは思えないな…

雑然

整然

「雑然」ににた意味の「乱雑」は、整った状態であるべきものがみだれていることだよ。「整然」は考えが整っていることだから「理路整然」と言うよ。

過失 ↔ 故意

過失

意味　不注意による失敗

使い方　それは過失とみとめられるかもしれないね。

故意

意味　悪いとわかっていて、わざとすること

使い方　故意に人をきずつけるのはよくないよ。

故意じゃないよ！

か…過失ならしかたないか…

「過失」をあらたまった言葉で言うと「過誤」。「医療過誤」などと使うよ。「故意」は、好ましくないことについて使うことが多いよ。

架空（かくう） ⟷ 実在（じつざい）

架空

意味　事実ではないこと、想像で作られたこと

使い方　架空の話とわかっていてもあこがれるなぁ。

実在

意味　じっさいに存在すること

使い方　実在する人物だなんて、思わなかった！

架空の人物で実在しないからこそいいんだよ！
これ推しのフィギュア♡

物語やマンガ、ゲームなど、フィクションの作品には「架空の人物」や「架空の場所」などと使われるね。ノンフィクションには実在する人物や場所が出てくるね。

外交（がいこう） ↔ 内政（ないせい）

外交

意味　外国との交際（こうさい）、外部との交際

使い方　新聞を読むと、**外交**の問題がわかるよ。

内政

意味　国内の政治（せいじ）のこと

使い方　**内政**にも関心（かんしん）をもたないといけないな。

学級委員長には**外交**も**内政**も期待（きたい）してるよ！

学級委員長にそこまで求める!?

「外交官（がいこうかん）」は外国にいて、その国との交渉（こうしょう）にあたる役人だよ。「外交」は、外部とのやりとり、「内政（ないせい）」は、内部とのやりとりという意味で使うこともあるよ。

外見(がいけん) ⟷ 内面(ないめん)

意味
外から見たようす

使い方
外見を気にしすぎないようにしようね。

類義語
外観(がいかん)

意味
内側(うちがわ)の面(めん)、人の心の中

使い方
内面のよさをみとめあおう。

おにぎりと人は**外見**だけで判断しない
ぜんぶいっしょよ!!
内面も大事なのである!

「外見(がいけん)」は「人」に、にた言葉である「外観(がいかん)」は家などの大きなものに使われるよ。家族などに見せる顔を「内面(うちづら)」と言い、対義語(たいぎご)は「外面(そとづら)」だよ。

攻撃（こうげき） ⟷ 防御（ぼうぎょ）

攻撃

意味　敵をせめること

使い方　後半は、**攻撃**をがんばろう！

防御

意味　敵の攻撃をふせぐこと

使い方　マスクで、ウイルスをしっかり**防御**しよう。

類義語（るいぎご）
守備（しゅび）

攻撃は最大の防御!!
ひゅ〜っ

「攻撃は最大の防御」と使われるけれど、たとえばサッカーなどでは、いくら守りがかたくても点を入れなければ勝つことができないから、まず攻撃する気持ちが大事なんだね。

余剰（よじょう） ⟷ 欠乏（けつぼう）

意味 あまり、残ったもの

使い方 米の生産（せいさん）を調整（ちょうせい）する。

類義語（るいぎご） 余分（よぶん）　過剰（かじょう）

意味 必要（ひつよう）なものがたりないこと

使い方 ビタミンの欠乏（けつぼう）に注意！

類義語（るいぎご） 不足（ふそく）　欠如（けつじょ）

そっちに余剰（よじょう）メンバーいる？
こっち欠乏（けつぼう）してるからだれかきて〜

「余剰（よじょう）」や「余分（よぶん）」ににた「余計（よけい）」は、ある一定の数より多いこと。「欠乏（けつぼう）」はまったくたりないという意味で、「不足（ふそく）」は十分ではないくらい。「枯渇（こかつ）」は使いはたしてなくなること。

起床(きしょう) ⟷ 就寝(しゅうしん)

意味　起きること

使い方　明日は七時に**起床**するよ。

意味　ねること

使い方　ウチは九時には**就寝**って決まっているんだ。

類義語(るいぎご)　就床(しゅうしょう)

十二時間はねたいから
起床時間を
七時とすると
就寝時間は…

キミは、毎日決まった時間に起床・就寝しているかな？　健康的(けんこうてき)な生活の基本(きほん)は、起床時間と就寝時間を規則(きそく)正しくすることだよ！　よくねて、元気に起きて、一日をがんばろう！

寡黙 ↔ 饒舌

意味 口数が少ないこと

使い方 田中先生は寡黙だね。

類義語 無口

意味 口数が多いこと

使い方 犬のことになると饒舌だね。

類義語 冗舌　多弁

ないとうくん、いつも寡黙だけど、植物のことになると饒舌になるな

モウセンゴケの生育地は湿地帯で茎はごく短く地面から放射状に生えるんだ先端から甘い香りのある粘液を出し、

口数が少ないことは「無口」とも言うね。「無言」は話をしないこと、「不言」は言わないことで「不言実行」などと使うよ。「饒舌」は、かんたんに言えば「おしゃべり」ってことだね。

就職 ↔ 退職

就職

意味　職につくこと

使い方　おねえちゃんが**就職**したから、おいわいだね。

退職

意味　職をしりぞくこと

使い方　おじいちゃんは、今年で**退職**するんだって。

りくとが**就職**したら、パパは**退職**してのんびりするぞ〜

今でものんびりしてるじゃん！

「就職活動」「就職難」と使うよ。ほかの会社に移ることを「転職」、一度「退職」してからもう一度就職することを「再就職」と言うよ。

事実（じじつ） ⟷ 虚構（きょこう）

意味 じっさいにあったこと

使い方 本を読んで、意外（いがい）な事実（じじつ）がわかったよ。

意味 作りごと、本当らしく作ったこと

使い方 虚構（きょこう）の物語もおもしろいね。

類義語（るいぎご）
仮構（かこう）

これって事実？
これはフィクション
オカルト情報誌には虚構のおもしろさがあるんだよ
UMA特集
都市伝説

「事実（じじつ）」も「真実（しんじつ）」も本当のことという意味だけど、「真実（しんじつ）」には「ウソではない」という意味がふくまれるよ。「虚構（きょこう）」は英語ではフィクションといって、対義語（たいぎご）はノンフィクションだよ。

契約 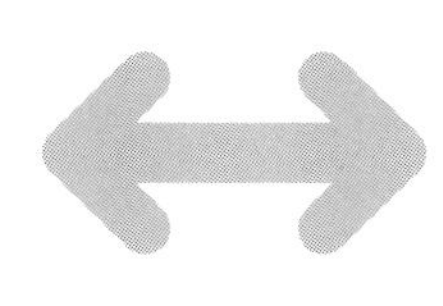 解約

契約

意味　やくそくすること

使い方　スマホの契約プランを調べてみよう。

解約

意味　契約・やくそくを取りけすこと

使い方　解約するときは、印かんが必要だね。

この契約は
あと１カ月で
解約されます
Play Airport
ひーっ

「契約書」という言葉があるように、契約は書面をかわすことが多いね。「解約」の対義語として「成約」（契約が成立すること）というのもあるよ。

真実（しんじつ） ⟷ 虚偽（きょぎ）

意味 ウソではない本当のこと

使い方 最終回（さいしゅうかい）でようやく**真実**（しんじつ）がわかったよ。

意味 うそ、いつわり

使い方 **虚偽**（きょぎ）の報告（ほうこく）はよくないよ。

おそくまで勉強してて寝坊（ねぼう）しちゃった

朝ごはんパスね

真実（しんじつ）か**虚偽**（きょぎ）か…

「虚偽（きょぎ）」は、ウソをあたかも本当であるかのように見せかけること、という意味もあるよ。さいばんで「虚偽（きょぎ）の証言（しょうげん）」と言ったりするね。

敏感(びんかん) ⟷ 鈍感(どんかん)

意味 感覚がするどいこと

使い方 気温の変化に敏感だね。

類義語 過敏(かびん)

意味 感じ方がにぶいこと、気がきかない

使い方 鈍感なくらいがいいこともあるよ。

類義語 無神経(むしんけい)　無感覚(むかんかく)

ん⁉
石焼きいものにおいっ
食べ物には敏感なのに身だしなみには鈍感なのよね…

「敏感」はふつうよりは感覚がするどいという意味、「過敏」は敏感すぎて、過度な反応をしてしまうことだよ。「あの人は鈍感だ」は、いい意味では使われないね。

平凡 ⇔ 非凡

平凡

意味
ありふれていて、変わったところがないこと

使い方
平凡なところがいいな。

類義語
凡庸

非凡

意味
とてもすぐれていること

使い方
非凡な才能に恵まれた。

類義語
奇抜

平凡な計算をこんな複雑な式で解けるとは！

やっぱりヒトシは非凡な才能の持ち主ね！

「平凡」はふつうという意味だけでなく、おもしろみがないという意味でも使うね。強調するときは「平々凡々」とも言うよ。「非凡」は「平凡」をはるかにこえてすごいという意味だよ。

慎重（しんちょう） ⟷ 軽率（けいそつ）

慎重

意味　注意深いこと

使い方　知らない場所では慎重（しんちょう）に行動してね。

軽率

意味　軽（かる）はずみなようす

使い方　修学旅行（しゅうがくりょこう）で、軽率（けいそつ）な行動はつつしもう。

あぶないから軽率（けいそつ）な行動はつつしんで慎重（しんちょう）にな！
ビョオォオオオォオ
はい…！！

「慎重（しんちょう）」ににた意味の「用心深い」は、警戒（けいかい）しながら行動するという意味だね。「軽率（けいそつ）」はよく考えないで行動するという意味で、あやまるときに「軽率（けいそつ）な行動でした」と言うね。

送辞（そうじ） ⟷ 答辞（とうじ）

送辞

意味　わかれの言葉

使い方　卒業式で**送辞**を読むことになったよ。

答辞

意味　祝辞・送辞などへの答えとしてのべる言葉

使い方　**答辞**をのべるのはドキドキするなあ。

えー
在校生の**送辞**のあと、卒業生の**答辞**が続きます
卒業式
校長のスピーチようやく終わった…

送辞も答辞も、主に卒業式で卒業生と在校生の間でやりとりされ、「読む」「のべる」と使うのが一般的。「祝辞」はおいわいの気持ちをのべる言葉、「謝辞」は感謝の言葉だよ。

起点 ⇔ 終点

起点

意味　出発点、ものごとのはじまり

使い方　東海道の**起点**は、東京の日本橋だよ。

類義語　始点

終点

意味　最終地点、最後にたどりつく停留所や駅

使い方　このバスで**終点**まで行けばいいんだね。

スタート・ゴール

選手のみなさん！

マラソン大会の**起点・終点**はこちらで〜す

「起点」は出発点だけど、「基点」はものごとをはかる基準点のこと。「東海道線は東京駅を起点とする」、「中央線の距離を新宿駅を基点として測る」と使うよ。

緊張 ⟷ 弛緩

緊張

意味 心と体がはりつめてこわばること

使い方 やっぱり、テストの日は緊張するよ。

弛緩

意味 ゆるむこと、たるむこと

使い方 筋肉はたまに弛緩させるといいんだって。

類義語 緩和

仲がいいのはいいけど弛緩してきたな〜

たまには緊張も必要だな

「緊張」は、今にも争いが起こりそうなようすのことを言うよ。そのきびしい状態をおだやかにやわらげることは「緩和」と言うよ。

集中（しゅうちゅう）⟷ 散漫（さんまん）

意味
一つのところに集まること

使い方
よし、集中して宿題をやろう。

意味
まとまりがないこと、ちらばっていること

使い方
注意力が散漫にならないように気をつけよう。

類義語
分散

注意力が散漫になってミスしてしまった
もっと集中しよう…
きゅっ
集中!

「集中」は気持ちについても使うね。「密集」はあるなにかが集まっているようすを言うよ。
「散漫」に近い意味の「ルーズ」には、性格がだらしないという意味があるよ。

記憶 ↔ 忘却

記憶

意味　おぼえたことをとどめておくこと

使い方　**記憶**したことがずっと残っているといいのに。

忘却

意味　すっかりわすれること

使い方　人間は、**忘却**する生き物だよ。

記憶にございません

忘却のかなたです

完全にわすれさることを「忘却の彼方（にある）」とも言うので、おぼえておこう！　にている言葉で「失念」があるけれど、これは「うっかりわすれること」だよ。

粗雑 ⟷ 精密

意味
おおざっぱでいいかげんなこと

使い方
その計画は、粗雑じゃないかなあ。

意味
こまかいところまでいきとどいていること

使い方
お父さんは明日、精密検査だ。

類義語
精巧　精緻

精密機器は粗雑にあつかったらこわれるよ！
キィーッ
ボスッ

「粗雑」ににた言葉に「粗末」があるけれど、これはざつなあつかいをするようすのことで「お金を粗末にする」と使うよ。

強制 ⇔ 任意

意味 無理にさせること

使い方 趣味を**強制**されたくはないな。

類義語 強要

意味 その人の意思にまかせること

使い方 会合への参加は**任意**だ。

類義語 随意

きもだめし

きもだめしは**強制**ではありません

勇気のある人だけが**任意**で参加できます

ほぼ強制・・・

「強制」も「強要」もほぼ同じ意味だけど、「強要」には相手に要求するという意味がふくまれるよ。「任意」と「随意」はほぼ同じ意味で、「ご随意に」は「ご自由に」という意味だよ。

原則 ⟷ 例外

原則

意味　特別な場合以外の基本的な決まり

使い方　**原則**として、小学生は立ち入り禁止だよ。

例外

意味　ふつうの決まりにあてはまらないこと

使い方　この冬の寒さは**例外**だ。

中学生将棋大会
原則は十二歳以上だけど例外としてみとめましょう
ありがとうございます
受付

「原則として」という決まった言い方があるよ。「原則」は特別な場合に「例外」をみとめるけれど、「鉄則」はぜったいに守るべき決まりのことなので、「例外」をみとめないよ。

民主 ⇔ 専制

民主

意味 国をおさめる権利が人民にあること

使い方 日本は**民主**主義なんだよね。

専制

意味 上に立つ人が勝手にものごとを決めること

使い方 **専制**君主は国家権力をにぎる人だよ。

専制は上に立つ人が決めちゃうことだけど民主的にみんなで決めたいと思います
いや実力行使だ

「民主」は「民主主義」「民主化」「民主政治」という形で使われることが多いよ。「専制政治」の場合、支配者がなんでも決めるので、国民が政治に参加することはできないんだよ。

華美 ⇔ 質素

華美

意味 はなやかで美しいこと

使い方 華美な服装ね。

類義語 派手

質素

意味 地味でかざりけのないこと

使い方 昔の食事は質素だったよ。

類義語 簡素

質素なファッションもいいけど、たまには華美な服もいいわよ！

お姉ちゃんは盛りすぎ…

「華美」も「豪華」もはなやかという意味があるけれど「華美」は美しさ、「豪華」は高級さのイメージかな。「質素」はひかえめなこと、「簡素」はムダをはぶくことという意味があるね。

進化 ⟷ 退化

進化

意味
より高度なものに変化すること

使い方
医学は日々**進化**している。

類義語
進歩

退化

意味
一度進んだものがもとにもどること

使い方
ヘビは足が**退化**して今のすがたになったんだって。

類義語
退行

生き物は**進化**するものばかりじゃないよ

たとえばペンギンは羽が**退化**して今のようになったんだ

「進化」も「退化」も明治時代に生まれた言葉だよ。「進化」は英語「evolution」の訳語として考えられたもの。「退化」は、「進化」の対義語として使われるようになった言葉だよ。

合成(ごうせい) ⟷ 分解(ぶんかい)

合成

意味　二つ以上のものを合わせて一つのものを作ること

使い方　この**合成**(ごうせい)写真、よくできてるね。

分解

意味　一つのものをこまかく分けること

使い方　**分解**(ぶんかい)してから修理(しゅうり)しよう。

食べたものは体内で分解(ぶんかい)されて、タンパク質(しつ)に合成(ごうせい)されます
ぼくがさっき、食べた給食も…

「合成(ごうせい)せんざい」「合成(ごうせい)せんい」などと使うね。「分解(ぶんかい)」は、時計のように組み立てられていたものを分けるときに使うね。

孤立 ⟷ 連帯

孤立

意味　ほかとはなれて一人だけでいること

使い方　**孤立**する人がいないクラスにしたいな。

連帯

意味　協力してものごとにあたること

使い方　このチームで**連帯**感がもてたね。

類義語　連携

同じかまのメシを食って**連帯**感を高めよう！

孤立してる子はいないかな？

はーい

「孤立無援」は、一人ぼっちで助けてくれる人がいないこと。心細いという意味で「四面楚歌」ににた四字熟語だよ。「連帯責任」は、あることについて何人かで責任をおうこと。

歓喜（かんき）⟷ 悲哀（ひあい）

意味 大喜びすること

使い方 優勝したクラスから**歓喜**の声が上がった。

意味 しみじみと悲しむこと

使い方 人生の**悲哀**を感じる出来事だったよ。

類義語 哀愁

全国大会進出おめでとう！
歓喜
悲哀
よくがんばった…

「狂喜」は「歓喜」よりさらに喜ぶこと。「狂喜乱舞」はうれしさのあまりおどりだすという意味だよ。「悲哀」は「悲哀を感じる」「悲哀がただよう」「悲哀に満ちた」などと使うよ。

俊敏（しゅんびん） ⟷ 緩慢（かんまん）

意味
頭がよくて、判断（はんだん）や行動がすばやいこと

使い方
あの俊敏（しゅんびん）さは見習いたいね。

意味
ゆったりしていておそいこと

使い方
パンダは緩慢（かんまん）なしぐさがかわいいな。

類義語（るいぎご）
愚鈍（ぐどん）

ダンスは緩慢さと俊敏さの両方が必要なのよね
DANCE

「若いころから俊敏（しゅんびん）をもって鳴（な）らした社長」というように、頭の回転が早く、判断（はんだん）・行動している人に使うよ。「愚鈍（ぐどん）」は、頭の回転が悪いことだけれど、使わないほうがいい言葉だね。

簡潔（かんけつ） ⟷ 冗長（じょうちょう）

意味　みじかく、よくまとまっていること

使い方　簡潔でわかりやすい解説だったよ。

意味　文章や話がムダに長いこと

使い方　話が冗長になってしまったかな。

類義語（るいぎご）　冗漫（じょうまん）

校長の話はいつも冗長だよね…
もっと簡潔に話してほしいな～

「冗長」も「冗漫」も、ただ長いだけで意味がないという点で共通しているよ。「冗長な話」とは長くて、つまらない話ということ。

派手(はで) ⟷ 地味(じみ)

意味
人目をひくはなやかさがあること

使い方
派手(はで)な動きはしばらくやめておこう。

意味
目立たずおちついていること

使い方
地味(じみ)な努力こそが実を結ぶんだよ。

類義語(るいぎご)
質素(しっそ)

この服(ふく)地味(じみ)かなぁ
派手(はで)すぎないですてきだと思うよ

「派手(はで)」は江戸時代に生まれた言葉。はなやかで目立つという意味だけど、「目立ちすぎる」は「出すぎている」とよくない意味で使われることも多いね。

淡泊（たんぱく） ⇔ 濃厚（のうこう）

意味 あっさりしていること、さっぱりしていること

使い方 淡泊（たんぱく）なつきあいもいいものだよ。

意味 とてもこいこと、こってりしていること

使い方 このラーメンのスープは濃厚（のうこう）だね。

この店のスープはさっぱりと淡泊（たんぱく）ね
ぼくは濃厚（のうこう）なのが好きだな
背脂（せあぶら）こってりの

「淡泊（たんぱく）」は、味や人間関係、ものごとのこだわり、それに性格（せいかく）がさっぱりしているようすについて使うよ。「濃厚（のうこう）」とにている「濃密（のうみつ）」は密度（みつど）がこくて、こまやかなようすのことだよ。

著名（ちょめい）⇔ 無名（むめい）

意味
名前がよく知られていること

使い方
著名な人ほど腰が低いよね。

類義語
有名（ゆうめい）　高名（こうめい）

意味
世間に名前が知られていないこと

使い方
無名でも実力で勝負できる時代だよ。

ぼくは今はまだ無名な小学生だけど
将来著名人になるんだ…
食虫植物

「著名人（ちょめいじん）」は有名（ゆうめい）な人、「名士（めいし）」はその分野で知識（ちしき）や経験（けいけん）が豊富（ほうふ）で有名な人のことをいうよ。どんな人でもはじめは「無名（むめい）」、実力をつけて評価（ひょうか）されるようになって「著名（ちょめい）」になるんだね。

時間 ↔ 空間

時間

意味　ある長さをもった時のこと

使い方　時間の流れは早いものだ。

空間

意味　ものが存在せず、あいているところ

使い方　限られた空間を上手に使いたいね。

時間も空間もこえて会ってみたいな～

SF ファンタジー

明治時代のはじめのころ、「time」の日本語訳として「時」「時刻」が使われるようになったよ。「時間の問題」といえば、結果はわかっていて、あとはその時を待つばかりという意味だね。

自立 ⟷ 依存

自立

意味　ほかからの助けを受けず、自分の力で行うこと

使い方　大人になったら**自立**した生活を送りたいな。

依存

意味　ほかのものをたよりにすること

使い方　じょうずに**依存**する人は甘えじょうず。

もう親に依存しないで
自立するときがきたね

「自立」はひとり立ちすること、「自律」は自分で自分をコントロールすること。「自律」の対義語は「他律」。「依存」は「いぞん」とも読むけれど、「いそん」のほうが一般的かな。

廃止

存続

廃止

意味　やめて行わなくなること

使い方　あの学校の制服は**廃止**になったんだよ。

存続

意味　長く続くこと

使い方　勉強する習慣は**存続**させたいね。

このマンガ部は
廃止されず
存続することが
決まりました！

「廃止」はやめること、「解消」はそれまでの関係ややくそくをやめること、「撤回」は取り下げることだよ。「存続」は維持すること、「持続」は中断せずに続けることだよ。

支配(しはい) ⟷ 服従(ふくじゅう)

支配

意味　指示(しじ)したり、まとめること、行動をしばること

使い方　クラスを**支配**(しはい)するのはよくないよ。

服従

意味　他人の命令(めいれい)にしたがうこと

使い方　権力(けんりょく)に**服従**(ふくじゅう)したくはないよね。

点数(てんすう)に**支配**(しはい)されることも**服従**(ふくじゅう)することもないよ!
次がんばればいいんだから!!

もともと「支配(しはい)」は、分けあたえること、という意味だったよ。「服従(ふくじゅう)」は自分の意志(いし)とは関係なくしたがうこと、「屈伏(くっぷく)」はまけてしたがうという意味だよ。

急性 ↔ 慢性

急性

意味
症状が急にあらわれて、病気の進行が早いこと

使い方
急性の発作が起きたら救急車をよぶんだよ。

慢性

意味
急に悪くはならず、治るのに長時間かかる病気

使い方
おばあちゃんの腰のいたみは**慢性**みたいだね。

ケガのいたみは**急性**のものだからすぐに治るよ

わたしの腰痛は**慢性**的だけどね…

「急性胃腸炎」「急性肝炎」といった病名があるよ。「慢性」は、病気だけでなく、よくないことが続くことについても「慢性の人手不足」「慢性インフレ」と使うことがあるよ。

被害 ⟷ 加害

意味
危害や損害を受けること、またはその害

使い方
昨日の台風の被害は大きいね。

類義語
損害

意味
人に危害や損害をあたえること

使い方
加害行為はやってはならないよ。

いじめの被害にあってほしくないけど
加害もダメよ
わかった!! とりあえず もう強くなるっ

火事や地震などの「被害」を受けることは「被災」「罹災」というよ。イジメは加害行為で、ぜったいにしてはいけないよ。もしイジメを見かけたら、先生や大人に言おう。

匿名 ⇔ 記名

匿名

意味 自分の名前をかくすこと

使い方 学校に**匿名**の寄付があったよ。

記名

意味 名前を書きこむこと

使い方 ここに**記名**してください。

類義語 署名

今回の投票は記名と匿名が半々でした
人気の給食デザート選手権
1位 フルーツポンチ 27票
記名15 匿名12
2位 りんごゼリー
記名7

「匿名」は、「匿名希望」「匿名の投書」「匿名で手紙を書く」というふうに使うよ。「署名」は「サイン」のこと。「契約書に署名する」というように署名は手書きだよ。

共有（きょうゆう）⟷ 専有（せんゆう）

意味
一つのものを二人以上でもつこと

使い方
このゲームは**共有**しよう。

意味
ひとりじめにしていること

使い方
ここは会社の**専有**のスペースだね。

類義語（るいぎご）
占有（せんゆう）

ロッカーは専有だけど
そうじ用具入れは共有だからきれいにしておかないとね

「共有」は道具や資産、土地だけでなく、「思い出を共有する」というふうにも使うよ。「占有」は自分のものにすること、「専有」はひとりじめにするというニュアンスだね。

人災 ↔ 天災

人災

意味　人の不注意で起こる災害

使い方　その水害は人災と言っていいと思うよ。

天災

意味　自然がもたらす災害

使い方　天災はわすれたころにやってくる。

こうしておけば対策

天災が人災になることもないんだよ

台風や地震などの「天災」で、国や自治体が対策しておかなかったために大きな被害が出たとき（対策しておけば大きな被害にならなかったとき）は、「人災」と言われることもあるよ。

脱退(だったい) ⟷ 加入(かにゅう)

意味 会や仲間(なかま)からぬけ出すこと

使い方 脱退(だったい)の説明(せつめい)をする。

類義語(るいぎご) 離脱(りだつ)

意味 団体(だんたい)の一員としてくわわること

使い方 新しく保険(ほけん)に加入(かにゅう)する。

類義語(るいぎご) 加盟(かめい)

前のグループを脱退(だったい)して
新しいグループに加入(かにゅう)してからすごくよくなったの
アイドル

「脱退(だったい)」のほかに、所属(しょぞく)する組織(そしき)によって「退会(たいかい)」「退団(たいだん)」「退部(たいぶ)」と言うよ。「加入(かにゅう)」は個人(こじん)がある団体(だんたい)の一員になること、「加盟(かめい)」は団体(だんたい)や国などが組織(そしき)に所属(しょぞく)するという意味だよ。

序盤(じょばん) ⟷ 終盤(しゅうばん)

序盤

意味 はじまったばかりの最初(さいしょ)の段階(だんかい)

使い方 物語(ものがたり)の**序盤(じょばん)**で感動しちゃったよ。

終盤

意味 ものごとの終わりに近い段階(だんかい)

使い方 **終盤(しゅうばん)**に近づくと、緊張(きんちょう)が増(ま)すよね。

お〜っと!!
序盤(じょばん)はとばしていましたが
終盤(しゅうばん)はかなりペースダウン!
大食い大会

「序盤(じょばん)」「中盤(ちゅうばん)」「終盤(しゅうばん)」の順番(じゅんばん)だよ。「序盤戦(じょばんせん)」「終盤戦(しゅうばんせん)」というふうにも使うね。「選挙戦(せんきょせん)の終盤(しゅうばん)に入る」といえば、選挙(せんきょ)期間の終わりに近づいているという意味だね。

邪道 ⇔ 正道

意味 正しくないやり方、望ましくない方法

使い方 そんな考え方は**邪道**だよ。

類義語 横道　裏道

意味 人としての正しい道、正しい行い

使い方 **正道**をふみはずさないで。

類義語 公道

もうかればいいというのは**邪道**だよ

お客さんによろこんでもらうのが**正道**なんだ

かっこいい!!

安い！新鮮
やまだ青果

「邪道」の「邪」は、正しくない、よこしまな（道をはずれている）という意味。「正道を歩む」「正道を行く」と使い、「邪道」に入ることは「正道をふみはずす」と言うよ。

詳細 ⟷ 概略

意味
くわしいこと、こまかいこと

使い方
詳細はあとで知らせます。

類義語
委細

意味
おおまかな内容

使い方
事件の概略を説明します。

類義語
概要　大要

この町の詳細な地図がほしいのに

この地図は概略だから使えないよ

やま
かわ
えき

「詳細」は、「詳細をきわめる」「詳細にわたる」「詳細な説明」というふうにも使うよ。「概略」と「概要」は、「概略を書く」「概要を説明する」のように使うよ。

疎遠（そえん） ↔ 親密（しんみつ）

意味 遠ざかっていて、親しみがうすれること

使い方 疎遠（そえん）になってしまった友だちっている？

意味 親しくつきあっていること

使い方 あの二人、なんだか親密（しんみつ）そうだね。

類義語（るいぎご）

親近（しんきん）　昵懇（じっこん）

疎遠（そえん）になっていた友だちからよ

じゃあまた親密（しんみつ）になれるかもね

「疎遠（そえん）」は、交流がなくなって会えなくなってしまうことだけど、にた言葉の「敬遠（けいえん）」は「性格（せいかく）があわないから敬遠（けいえん）する」などと、イヤだから遠ざけることだね。

身内（みうち） ⟷ 他人（たにん）

身内

意味　家族や親族、同じ組織の人

使い方　**身内**に有名人がいるなんて、うらやましいな。

類義語（るいぎご）　親族（しんぞく）　一族（いちぞく）

他人

意味　血のつながらない人

使い方　君のことは**他人**とは思えないよ。

お母さんは**他人**にはやさしいのに**身内**にはきびしすぎる！

そりゃそうでしょうよ…

ことわざの、「遠い親せきより近くの他人」は、遠くにいる親せきよりも、近くにいる他人のほうがたよりになるという意味だよ。ご近所づきあいを大切にという教えだね。

大胆 ⇔ 小心

意味
おそれないこと、思い切ったことをするようす

使い方
ずいぶん**大胆**な発想だね。

類義語
剛胆

意味
気が小さいこと

使い方
兄は意外に**小心**です。

類義語
小胆
臆病

大胆な母
行けるところまで行くのよ！
下山しよう…
小心な父

「大胆不敵」は、敵を敵とも思わないくらい度胸があっておそれないこと。「大胆不敵な行動」などと使うよ。「小心」は気が小さいこと、「臆病」はすぐにこわがること。

昇進 ⟷ 降格

昇進

意味　地位がのぼり進むこと

使い方　お母さんが会社で**昇進**したんだって！

降格

意味　地位が下がること

使い方　大きなミスをして**降格**させられたんだね。

お父さん**昇進**したの？

昇進も**降格**もしてないよ
現状維持だって大事なんだよ…

「昇級」は等級が上がること、「昇段」は武道などで段位が上がること。「昇格」「降格」は、主に会社の人事異動（地位や勤務地が変わること）で使われる言葉だね。

促進（そくしん） ⟷ 抑制（よくせい）

促進

意味　ものごとがさらに進むように働きかけること

使い方　これが植物の成長を促進する肥料なんだね。

抑制

意味　おさえること、とめること

使い方　いかりの気持ちは抑制できるといいね。

類義語　抑止

この開発を促進するにはエネルギーの抑制が必要です
すごいロケット

「促進」には「スピードを速める」という意味があるよ。「推進」は、計画や事業が目的に向かうように進めること。「抑制」は、「抑制のきいた文章」とも使うよ。

通説 ↔ 異説

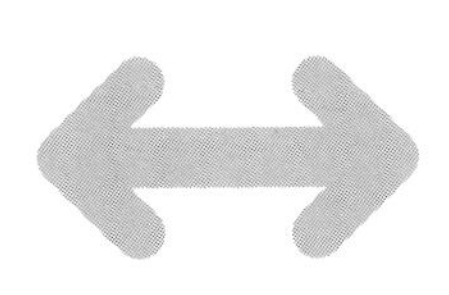

通説

意味　世間に広くみとめられている考え方

使い方　通説をくつがえす大発見だね！

類義語　通釈

異説

意味　ふつうとはちがう説、今までとちがう説

使い方　ユニークな異説だね。

類義語　異論

ぼくたちで通説にはない異説を立ててみようよ！
どうやったら宿題をへらせるか

「通説」は広くみとめられている説、「俗説」は根拠もないのに広く言い伝えられている説のこと。「異説」は「異説を立てる」「異説がある」「異説をとなえる」というふうに使うよ。

直喩 ⇔ 暗喩

意味　「～のようだ」とたとえること

使い方　「白魚のような指」は直喩だね。

類義語　明喩

意味　「ようだ」を使わずにたとえること

使い方　暗喩で言えば、「人生は旅」かな。

類義語　隠喩

あなたは天使ね!
(暗喩)

あなたは天使のようね!
(直喩)

「直喩」「明喩」は、「～のようだ」「～のごとし」などを使ってたとえる比喩表現。「暗喩」「隠喩」は、「雪のはだ」「りんごのほっぺ」など、二つのものを直接結びつける比喩表現だよ。

暗示（あんじ） ↔ 明示（めいじ）

暗示

意味 それとなく知らせること

使い方 それは、将来を**暗示**する出来事だね。

明示

意味 はっきりとさししめすこと

使い方 すでに答えは**明示**されているようなものだよ。

ヒントはこの絵に**暗示**されてそうだけど…

あっ

ここに**明示**されてた！

壺はどこ？

「暗示にかける」は、事実でないことを事実だと思いこませることだよ。「明示」ははっきり示すこと、「例示」は例を出して示すこと、「内示」は公表前に示すことだよ。

赤字 ⟷ 黒字

意味 入ったお金より、出たお金のほうが多いこと

使い方 今月も**赤字**になりそうだよ。

意味 出たお金より、入ったお金のほうが多いこと

使い方 来年こそは**黒字**にしたいね。

社長!!
今年わが社は大幅な赤字です!
がんばって来年は黒字にしよう!
社長

「赤字を出す」「赤字続き」「赤字に転落」、「黒字を出す」「黒字に転ずる」と使うよ。「赤字を入れる」は、印刷する前に、まちがっているところを直すために書き入れることだよ。

緯度 ⇔ 経度

緯度

意味　地球の表面で、赤道に平行な座標

使い方　東京の**緯度**は北緯三十五度三十九分だよ。

経度

意味　地球上で東西をあらわす座標

使い方　兵庫県明石市の**経度**は東経百三十五度だよ。

どっちが**経度**でどっちが**緯度**だっけ…

経度

緯度

タテはK度、ヨコは井戸って覚えるといいよ！

なるほど…ビミョーにわかりにくい!!

「緯」はもともと横糸という意味。赤道から北極を北緯、赤道から南極を南緯というよ。「経」はたて糸。経度が十五度ずれると、時刻が一時間ずれるよ。

雨季 ⟷ 乾季

意味
一年のうちでとくに雨の多い時期のこと

使い方
もうそろそろ**雨季**に入るころだね。

類義語
雨期

意味
一年のうちで雨の少ない時期のこと

使い方
アフリカでは雨季と**乾季**がはっきりしている。

アフリカの**乾季**って何カ月も雨がふらないの?
そのぶん**雨季**にふるんだよ

日本の太平洋側では、梅雨・秋雨・台風の時期が雨季、日本海側ではこれらと冬の降雪が雨季になるよ。一般的に、一カ月以上雨がふらない時期を「乾季」というよ。

雨天  晴天

意味 雨のふる天気、雨のふる空もよう

使い方 運動会は**雨天**中止だって。

意味 晴れわたった天気、晴れた空

使い方 今年の運動会は**晴天**にめぐまれたね。

類義語 青天

明日の遠足、**雨天**中止だって…

てるてるぼうずを作って**晴天**をいのろうよ！

「雨天」は「雨天決行」「雨天順延」というふうに使うよ。くもりの日は「曇天」、雨や風がはげしい荒れた天気は「荒天」と言うよ。突発的な出来事は「青天のへきれき」と言うよ。

公転 ⟷ 自転

公転

意味
天体がほかの天体のまわりを周期的に回ること

使い方
惑星のまわりは、衛星が公転しているよ。

自転

意味
天体が自分自身で回ること

使い方
地球は約二十四時間で一回自転しているよ。

太陽
地球は太陽のまわりを公転しながら自転もしてるんだよ
むずかしくて目も回りそうだ〜

月は地球のまわりを公転していて、地球は太陽のまわりを公転しているよ。地球の自転スピードは一定ではないので、うるう秒を作って時間を調整しているんだよ。

垂直 ⟷ 水平

垂直

意味　地平面にたいして直角にあること

使い方　この柱を、ゆかに**垂直**に立てよう。

水平

意味　平らなこと、重力の方向に対して直角なこと

使い方　はかりは**水平**なところに置いて使うよ。

類義語　平行

水平の線と垂直の線を図形であらわすとこうなるよ
そっか、角度は90度になるのか!
船みたい。

算数や数学で、直線や平面が90度でまじわることを「垂直」、二つの直線がまじわってできる90度の角を「直角」と言うよ。海と空が接して見える線は「水平線」と言うよ。

コラム1

ことわざの対義語

昔の人の知恵や教えがつまっていることわざにも、対義語があるよ。両方を同時に知ると、頭に入りやすいかもね。

対義語

船頭多くして船山に上る
指図する人が多いとうまくいかない

↕

三人寄れば文殊の知恵
凡人でも三人集まればいい知恵が出る

とんびが鷹を生む
へいぼんな親からすぐれた子が生まれること

↕

かえるの子はかえる
子は親にになるものだ

人を見たらどろぼうと思え
他人は軽々しく信用してはいけない

わたる世間に鬼はなし
世の中には情け深い人もいる

まかぬ種は生えぬ
なにもせずにいい結果は期待できない

果報は寝て待て
幸運はあせらずに待つのがよい

三字熟語の対義語と類義語

利己的
パパを踏み台にして行くんだ！
ちょうどいい足場があった
利他的

積極的（せっきょくてき）⇔ 消極的（しょうきょくてき）

意味
すすんでものごとをしようとするようす

使い方
ボランティア活動を積極的にやってみたいな。

類義語（るいぎご）
能動的（のうどうてき）　自発的（じはってき）

意味
ひかえめでひっこみがちなようす

使い方
お兄ちゃんは、恋愛に消極的なんだよね。

今日は授業参観だから積極的に手をあげるよ!!
いつもは消極的なのにね…

「積極的」「能動的」には、ほかに働きかけるという意味もあるよ。「自発的」は自分から進んでやるという意味。「消極的」は、ちょっとマイナスなイメージがあるね。

絶対的（ぜったいてき） ⟷ 相対的（そうたいてき）

意味　ほかにくらべるものがないようす

使い方　あの人は柔道（じゅうどう）で**絶対的（ぜったいてき）**な強さをほこるよ。

意味　ほかとの比較（ひかく）でなりたつこと

使い方　正義（せいぎ）と悪も、**相対的（そうたいてき）**なものかもしれないね。

今日のテストは**相対的（そうたいてき）**にはよかったよ!!

いつもの平均は30点だから!!

絶対的（ぜったいてき）にどうかってことも大事なんだけど…

「絶対的（ぜったいてき）」は、ほかにくらべるものがなく、それが存在（そんざい）する・価値（かち）があるという意味だよ。「相対的（そうたいてき）」は、くらべるものがちがえば価値（かち）も変わるという意味をふくむよ。

悲観的(ひかんてき) ⟷ 楽観的(らっかんてき)

悲観的

意味　ものごとがうまくいかないと考えること

使い方　あまり悲観的に考えないほうがいいよ。

楽観的

意味　ものごとがうまくいく、と考えること

使い方　お母さんは楽観的なところがいいところだね。

運動会が雨で中止になって、悲観的な者と楽観的な者がいるな…
やったー
50メートル走イヤだったんだよねー
えーっ楽しみにしてたのにーっ

「悲観的な見方」「楽観的すぎる」などと使うよ。ものごとは、悲観的にならないくらいに慎重で、楽観的になりすぎないくらいに明るく考えるのが、ちょうどいいかもね！

具体的 ↔ 抽象的

具体的

意味
はっきりと形や内容がわかること

使い方
具体的な説明が必要だよね。

抽象的

意味
じっさいの形や内容をもたないこと

使い方
「おもしろいマンガ」と言うだけじゃ**抽象的**でわからない。

おいしいものが食べたーい
量が多いもの!!
そんな**抽象的**な言い方じゃなくて**具体的**に言って!

「抽象的」とは、一つひとつでなく全体をひとくくりに表すこと。「抽象的な絵」「抽象的な質問」というふうに使うよ。「具体的」ははっきりしていること。

消費者 ↔ 生産者

消費者

意味
作られたものを買って使ったり食べたりする人

使い方
消費者としては安全性にこだわりたいな。

生産者

意味
生活に必要なものを作り出す人

使い方
この野菜は、**生産者**の努力のたまものだね。

ぼくたち消費者がおいしい野菜を食べられるのは
生産者の人たちががんばってくれているからだね

ふつうの生活では、みんなが消費者と言えるね。自然界では、草食動物を第一次消費者、肉食動物を第二次消費者とよぶ。光合成をする緑色植物や細菌は第一次生産者だよ。

進歩的(しんぽてき) ⟷ 保守的(ほしゅてき)

意味
考え方などが進んでいて新しいようす

使い方
キミの意見は**進歩的**(しんぽてき)だね。

類義語(るいぎご)
革新的(かくしんてき)

意味
古いしきたりや制度を守り、重んじること

使い方
うちの父は**保守的**(ほしゅてき)な考え方の人です。

豚汁(とんじる)に牛乳(ぎゅうにゅう)入れるとおいしいってこと気づいちゃった!
やってみな!!
進歩的(しんぽてき)(?)↓
保守的(ほしゅてき)↓
わたしはべつべつで食べたいかな…

「進歩的(しんぽてき)な考え」というと「時代よりも先を見すえた考え」という意味だね。「保守的(ほしゅてき)」は伝統(でんとう)を重んじる、古い決まりに従うなどいろいろな意味をふくんでいるよ。キミはどっちかな?

本質的（ほんしつてき） ⟷ 表面的（ひょうめんてき）

意味
本質（ものごとのもとになる一番大切な性質）に深くかかわっていること

使い方
この問題の**本質的**な意味に気づいたかな？

意味
ものごとの見かけだけにかかわること

使い方
表面的なあいさつでは、気持ちは伝わらないよ。

ゴォオオオォ
ぼくもいつか…
世界の偉人
ないとうくんは**表面的**にはクールだけど**本質的**には熱い人だよ

「本質的」なことはよく考えないとわからないことで、「表面的」は「うわべだけ」という意味でも使われ、あまりいい意味ではないね。

利己的 ⟷ 利他的

利己的

意味
自分の利益だけを追いもとめること

使い方
利己的な考え方は、やめたほうがいいね。

利他的

意味
自分をぎせいにして他人につくすこと

使い方
あの人は**利他的**で尊敬しちゃうなあ。

パパをふみ台にして行くんだ！
利己的
ちょうどいい足場があった
利他的

「利己的遺伝子」とは、遺伝子にとって有利な性質が進化するということを、遺伝子が利己的だと表現したもの。イギリスの行動生物学者ドーキンスが一九七六年に提唱したよ。

顕在的 ⟷ 潜在的

顕在的

意味
表面にあらわれているようす

使い方
問題が**顕在的**になってきたね。

潜在的

意味
外にあらわれずにひそんでいるようす

使い方
キミには**潜在的**な能力があるはずだよ。

ぼくには**潜在的**な能力があるんだ

はやく宿題しちゃいなさい!!

ただ、**顕在的**じゃないだけ…

「顕」は「顕わ」、表に出ていること。「潜」は「潜んでいる」、かくれていること。「潜在的な患者」は、診断されていないけれど病気の可能性が高い人のことだよ。

当事者(とうじしゃ) ⟷ 傍観者(ぼうかんしゃ)

当事者

意味　そのことに直接関係(ちょくせつかんけい)している人

使い方　当事者(とうじしゃ)としての意識(いしき)をもって取り組もう。

傍観者

意味　そばでながめている人

使い方　いつまでも傍観者(ぼうかんしゃ)でいるのはよくないね。

いじめは当事者(とうじしゃ)だけの問題じゃない
ただ見てるだけの傍観者(ぼうかんしゃ)だって問題なんだよ
そーだそーだ!!
浦島太郎

「当事者(とうじしゃ)」を「当時者」と書かないように注意しよう。「傍観者(ぼうかんしゃ)」の「傍(かたわら)」は「そば」という意味だよ。また、動詞(どうし)で「傍観(ぼうかん)する」ともいうけれど、「当事(とうじ)する」とは言わないよ。

関係者（かんけいしゃ） ⟷ 部外者（ぶがいしゃ）

関係者

意味
関係がある人、たずさわっている人

使い方
ここは関係者でないと入れないよ。

部外者

意味
かかわりのない人

使い方
部外者は立ち入り禁止なんだって。

ここは関係者以外立ち入り禁止だよ
部外者は入らないでね
アニメフェス
STAFF ONLY

ニュース番組などで、発言者の名前を明らかにできないときに「関係者の話によると……」と言ったりするね。「関係者以外立ち入り禁止」は「部外者立ち入り禁止」ということだね。

対義語 ⟷ 類義語

意味 反対の意味や対になる意味をもつ言葉

使い方 対義語が一つに決まらない言葉もあるね。

類義語 反対語 反意語

意味 意味がよくにている言葉

使い方 類義語を思いつくだけあげてみよう。

類義語 同義語

「対義語」の対義語は何になるのかな？
類義語か同義語かな？

「類義語」はにた意味の言葉、「同義語」はまったく同じ意味の言葉のことだよ。たとえば「道路」と「道」、「関取」と「力士」は同義語。「道路」と「通り道」は類義語になるね。

青二才 ↔ 一人前

青二才

意味　わかくて経験が少ない人

使い方　あのころは青二才だったなあ。

類義語　半人前　未熟者

一人前

意味　能力をじゅうぶんに身につけた人

使い方　ようやく一人前になれたよ。

おまえもはやく一人前になれよ！

まだまだおまえも青二才だろ！

「青二才」の「青」は未熟という意味、「二才」は「新背（若者）」という言葉が変化したものという説があるよ。「青二才」は、経験があさいのに生意気なことを言う人に使われるね。

居丈高（いたけだか） ⟷ 低姿勢（ていしせい）

意味　人をおさえつけるような態度のこと

使い方　居丈高な態度で接するのはやめよう。

類義語　威圧的　高飛車

意味　へりくだった態度をとること

使い方　あの人はいつも低姿勢で謙虚だね。

えらい人って居丈高なイメージがあるけど
齋藤孝先生出版記念サイン会
じっさいは低姿勢な人が多いよね

「居丈高」にはおこって立つという意味もあるよ。「高飛車」は相手をおどすようにせめること。「高飛車なものの言い方」と使う。「低姿勢に出る」「低姿勢をとる」と使うよ。

几帳面(きちょうめん) ↔ 大雑把(おおざっぱ)

意味 きちんとしているようす

使い方 几帳面(きちょうめん)な性格(せいかく)でうらやましいよ。

意味 こまかいことにこだわらないようす

使い方 たまに大雑把(おおざっぱ)なところもあるよね。

カトウさんは几帳面(きちょうめん)だね
カンタが大雑把(おおざっぱ)すぎるんだよ

「几帳面(きちょうめん)」にはいいかげんではなくまじめという意味もあるけれど、「四角四面(しかくしめん)」はまじめすぎておもしろみがないという意味だよ。「大雑把(おおざっぱ)」は「大まか」よりも雑(ざつ)なイメージだね。

口八丁(くちはっちょう) ⟷ 口下手(くちべた)

口八丁

意味：話が上手なこと

使い方：あの人はいつも口八丁だね。

類義語(るいぎご)：口達者(くちだっしゃ)

口下手

意味：うまくものを言うことができない人

使い方：口下手だけど、誠実(せいじつ)な人だよね。

店員(てんいん)さんが口八丁でまたいらないものを買っちゃったわ…

口下手だと断(ことわ)りにくいよね

ていうか何コレ…？

「口八丁手八丁(くちはっちょうてはっちょう)」は、話すこともやることもうまいという意味。でも、軽々(かるがる)しい人というニュアンスもあってあまりいい意味ではないから、人に対して使わないほうがいいね。

素寒貧 ↔ 金満家

素寒貧

意味　まずしくてお金をまったくもっていないこと

使い方　今月は買い物をしすぎて**素寒貧**だよ。

類義語　**無一文**

金満家

意味　大金持ちの人のこと

使い方　あの社長は**金満家**だね。

類義語　**資産家**

この宝くじが当たれば**金満家**だ！

はずして**素寒貧**に…

お金をつかいはたしてしまうことを「すってんてん」とも言うよ。「富豪」はばくだいな財産をもっている人、「成金」は急にお金持ちになった人、「素封家」は代々お金持ちの家。

疫病神 ↔ 守護神

疫病神

意味　人から忌みきらわれる人

使い方　どうも疫病神にとりつかれたみたいだよ。

類義語　貧乏神

守護神

意味　安全を守る神、たよりになる人

使い方　かれはこのチームの守護神だよ。

リョースケはサッカーの守護神だけど

野球では疫病神だよ…

また三振…

悪い神は、「疫病神」のほかに、人を貧乏にする「貧乏神」、人を死にいたらしめる「死に神」があるよ。たよりになるという意味の「守護神」は、サッカーのゴールキーパーに使うね。

コラム2 類義語の微妙なちがい

類義語とは、言葉はちがうのに意味がにている言葉のこと。「にている」ということは、同じようだけど、微妙にちがうところがあるんだね。

会話（かいわ）

二人以上の人が話すこと。「会話を交わす」

対話（たいわ）

向かいあって話すこと。「対話する」

共感（きょうかん）

ほかの人の考えや気持ちに、自分も同じだ、と思うこと。「共感する」

同感（どうかん）

ほかの人の感じ方に、自分も同じように感じること。「同感だ」

自然（しぜん）

この世にある、ありのままのもの。「自然を守る」

天然（てんねん）

人の手が加わっていないもの。「天然の魚」

決心（けっしん）

あることをやろうと決めること。「決心がつく」

決意（けつい）

それを最後までやる、と決めること。「決意を表明する」

区別（くべつ）

種類のちがいで分けること。「区別する」

差別（さべつ）

性質のちがいによってあつかい方を変えること。「差別される」

命中（めいちゅう）

ねらいにうまく当たること。「命中させる」

的中（てきちゅう）

考えが当たること。「予感が的中した」

四字熟語の対義語と類義語

お兄ちゃんは私には傲岸不遜だけど
ママには平身低頭だよね
だっておっかねーんだもん

前途洋々

意味　将来が希望にみちていること

使い方　キミたちの、前途洋々の門出にかんぱい！

類義語　前途有望

↔

前途多難

意味　将来に多くの困難が待ち受けていること

使い方　本番まで時間がないなんて、前途多難だね。

きみたちの人生は前途洋々であるから…

朝礼が長すぎて今日は前途多難だよ…

「前途」は行く先やこの先の人生、「洋々」は広くひらけているという意味。「前途多難」は「一寸先は闇（ちょっと先のことも、ぜんぜん予測できない）」とにた意味だね。

多事多難 ↔ 平穏無事

多事多難

意味 次々と事件が起こって困難が多いこと

使い方 多事多難の一年だった。

類義語 多事多患　多事多端

平穏無事

意味 おだやかで平和なこと

使い方 平穏無事でなによりだね。

類義語 天下泰平　平安無事

多事多難だね…

平穏無事な航海をしたかったよ～

「多事多難」は、「事件」も「困難」も「多」く、心がおちつくヒマがないという意味だね。「平穏無事」は「平穏無事にくらす」「平穏無事な毎日」と使うよ。

平身低頭(へいしんていとう) ⟷ 傲岸不遜(ごうがんふそん)

意味 おそれ入ること、ひたすらあやまること

使い方 お父さんが電話に向かって平身低頭(へいしんていとう)していたよ。

類義語(るいぎご) 三拝九拝(さんぱいきゅうはい)

意味 思いあがっていて、人を見下すこと

使い方 傲岸不遜(ごうがんふそん)な態度(たいど)の男だね。

類義語(るいぎご) 自信満々(じしんまんまん)　自信過剰(じしんかじょう)

「平身(へいしん)」は体をかがめること、「低頭(ていとう)」は頭を低くたれること。ひらあやまりするようすだね。「傲岸(ごうがん)」はおごりたかぶること、「不遜(ふそん)」はへりくだらない、という意味だよ。

お兄ちゃんはわたしには傲岸不遜(ごうがんふそん)だけどママには平身低頭(へいしんていとう)だよね
だっておっかねーんだもん

意気消沈（いきしょうちん）

意味
元気がないこと、おちこむこと

使い方
そんなことで意気消沈する必要はないよ。

意気揚々（いきようよう）

意味
得意そうでほこらしげなこと

使い方
百点をとって、意気揚々と帰ってきた。

でかけるときは意気揚々としてたのに
雨にぬれて意気消沈した…

類義語（るいぎご）
意気軒昂（いきけんこう）

「意気消沈」は、がんばってやったことが失敗して、がっかりしているときに使うよ。「意気」は気力、「消沈」はしずむという意味。「意気揚々」の「揚々」は得意げなようすのことだよ。

支離滅裂 ↔ 理路整然

支離滅裂

意味　まとまりがないこと、めちゃくちゃなようす

使い方　言っていることが**支離滅裂**だよ。

類義語　滅茶苦茶

理路整然

意味　ものごとの筋道がちゃんと通っていること

使い方　先生の話は**理路整然**としていてわかりやすい。

発見されたの!!
カエルが新種の
となりのおばちゃんの
ピンクで

支離滅裂でなに言ってるのかわからないよ**理路整然**と話して

「支離滅裂」は「支離滅裂な言いわけ」「支離滅裂になる」「支離滅裂だ」と使うよ。「理路」は論理のこと、「整然」は正しく整っていること。「理路整然としている」と使うね。

日進月歩

意味　つねに進歩し続けること

使い方　スマホは日進月歩で開発されているよね。

↔

旧態依然

意味　前からの状態がまったく変わらないこと

使い方　旧態依然とした考え方ではついていけないね。

類義語　十年一日

世の中は
日進月歩で
進化してるのに
学校教育が
旧態依然と
しているのは
どうかと思う
?

「日進月歩」には、急速に進歩するという意味もあるよ。「旧態依然」の「旧態」は古い状態のこと、「依然」は変わらないこと。「旧態以前」と書かないように注意しよう。

明々白々(めいめいはくはく) ⟷ 曖昧模糊(あいまいもこ)

意味 はっきりしていること、うたがう余地がないこと

使い方 あの人がウソをついているのは明々白々だね。

類義語 一目瞭然(いちもくりょうぜん)

意味 あやふやでぼんやりしていること

使い方 曖昧模糊な返答はしない。

類義語 五里霧中(ごりむちゅう)

曖昧模糊としててよくわからないです
いや…
真実は明々白々だ！

「明々白々」は、「明白（明らかなこと）」を重ねて、だれが見ても明らかであると強調した言葉だよ。「曖昧模糊」は、「曖昧」も「模糊」もはっきりしないという意味だよ。

有言実行 ↔ 不言実行

有言実行

意味　「やる」と言ったことを実際に行うこと

使い方　わたしのモットーは「有言実行」です！

類義語　言行一致

不言実行

意味　あれこれ言わずに行動すること

使い方　彼は**不言実行**の人だね。

わたしは**有言実行**のヒトシを応援するわ

かるた大会

ぼくはぜったいに優勝する!!

……

ぼくは**不言実行**のないとうくんかな

無口なだけじゃ…

もともと「不言実行」があって、それをもじってできたのが「有言実行」。「不言実行」は、口数は少ないけれどやるべきことはしっかりやる人のことをほめる意味で使うことが多いね。

優柔不断 ⇔ 即断即決

優柔不断

意味 なかなか決められないこと

使い方 お兄ちゃんは優柔不断だからこまるよね。

類義語 意志薄弱

即断即決

意味 その場ですぐに決めること

使い方 即断即決できるなんて、うらやましいよ。

類義語 迅速果敢

いつもは優柔不断なカンタだけど

食べ物のことになると即断即決だね

え〜どれにしようかな〜

みんなー おひるごはんはラーメンにしよう!!

ーガー

ラーメン

「優柔不断」の「優柔」はぐずぐずしていてにえきらないこと、「不断」は決断できないこと。「不断」を「不断の努力」と使うときは、たえまなくという意味になるよ。

中央集権

意味

政治権力が中央政府に集中すること

使い方

大化の改新によって、**中央集権**が進んだよ。

地方分権

意味

行政権を各地方に分散させること

使い方

地方分権では、その地域住民の意見が大事だね。

A議員は**地方分権**の名をかたって**中央集権**を進めているね

政治の話好きだねあの2人…

明治時代の日本の政治は中央集権だったよ。それが、日本国憲法が作られて、各都道府県（地方自治体）に行政権をもたせる地方分権主義をとるようになったんだよ。

類義語クイズ❶

次の空らんに入る類義語を下から選んでみよう。

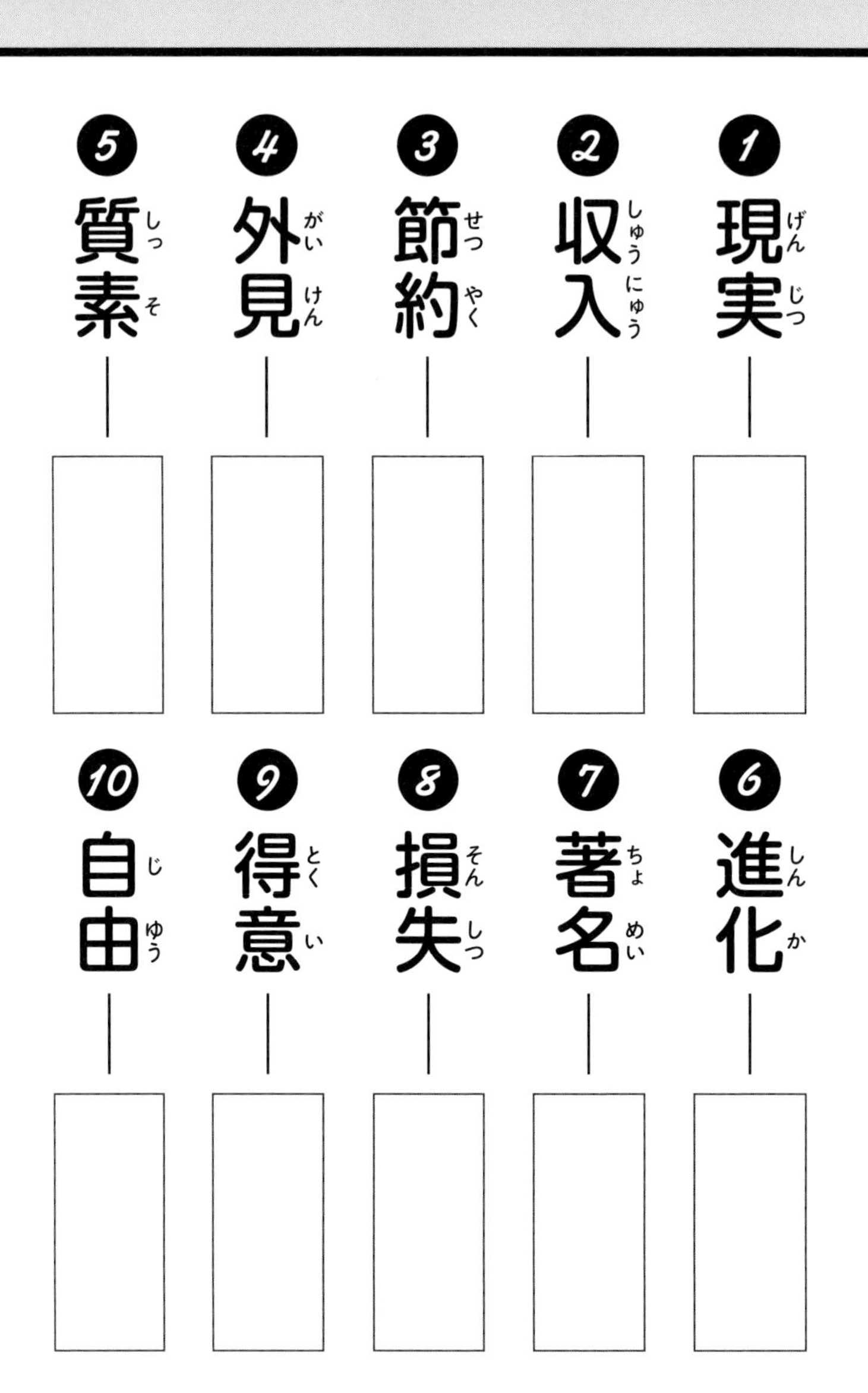

❶ 現実―□
❷ 収入―□
❸ 節約―□
❹ 外見―□
❺ 質素―□
❻ 進化―□
❼ 著名―□
❽ 損失―□
❾ 得意―□
❿ 自由―□

答えのコーナー

有名　進歩　実際　外観　得手　倹約　自在　簡素　損害　所得

答：①現実―実際　②収入―所得　③節約―倹約　④外見―外観　⑤質素―簡素　⑥進化―進歩　⑦著名―有名　⑧損失―損害　⑨得意―得手　⑩自由―自在

カタカナ語の対義語と類義語

ぼくはみんなが好きな
メジャーな花より
マイナーな
植物が好きだ…

フォーマル ⟷ カジュアル

フォーマル

意味 正式なこと、公式であること

使い方 **フォーマル**な言葉づかいを練習しよう。

カジュアル

意味 日常的、気軽なようす

使い方 今日は**カジュアル**な服そうで行こうかな。

先生、いつもはカジュアルなのにふんいきがちがいますね
いつもはジャージ
今日は式典があるからフォーマルな服にしたんだ

「フォーマルウエア」は冠婚葬祭などで着る正式な服のこと、ふだん着のことは「カジュアルウエア」と言うよ。

ミクロ ⟷ マクロ

ミクロ

意味　非常に小さいこと

使い方　けんび鏡で、**ミクロ**の世界を見てみよう。

マクロ

意味　巨大であること

使い方　**マクロ**な視点で見ることも大事だよ。

ミクロの視点とマクロの視点
両方から観察するのが重要なんだ

「ミクロ」は肉眼では見えないくらい小さいもののこと。「ミクロ」は小さいという意味のギリシャ語、「マクロ」は大きいという意味のギリシャ語がもとになっているよ。

カオス ↔ コスモス

カオス

意味　秩序のない状態、ごちゃごちゃしている

使い方　一年生の教室は**カオス**だったよ！

コスモス

意味　秩序があって調和がとれている世界

使い方　大宇宙のことをマクロ**コスモス**と言うよ。

宇宙が始まる前のこんとんとした状態を**カオス**

秩序が整って調和がとれた状態を**コスモス**と言うんだ

「カオス」は宇宙ができる前のこんとんとした状態という意味。「ミクロコスモス」は人間という意味だよ。

ビフォー⟷アフター

意味
〜の前に

使い方
これだったら、**ビフォー**の方がよかったよ。

アフター

意味
〜のあとで

使い方
アフターサービスがてっていしているね。

ビフォー
今日こそ告白するぞ！
♪
立ち直れそうにない…
アフター

「ビフォーアフター」は、美容整形や家の改築のテレビ番組でよく使われる言葉だよね。これは、修正する前と後、という意味で使っているよ。英語では「before and after」だよ。

スクラップ ⟷ ビルド

スクラップ

意味　新聞などの切りぬき、金属（きんぞく）のくず

使い方　この車はもう走れないから**スクラップ**にする。

ビルド

意味　建てる、組み立てる

使い方　パスをつないでせめの形を**ビルト**アップさせていこう！

作品こわしちゃってごめん…
気にしないで！
ブロック遊びは**スクラップ**アンド**ビルド**がだいごみだから

「スクラップアンドビルド」は、古いものを新しいものに作り変えるという意味だよ。新聞や雑誌（ざっし）の切りぬきをはっておくノートは「スクラップブック」と言うね。

モノローグ ↔ ダイアローグ

モノローグ

意味　劇などで、一人で語るセリフのこと

使い方　主人公の**モノローグ**は感動したなぁ。

ダイアローグ

意味　劇などでの対話の部分

使い方　**ダイアローグ**のシーンは迫力があったね。

この物語の見どころは主人公の**モノローグ**だよね
ヒロインとの**ダイアローグ**もいいよ

「モノローグ」は独白、「ダイアローグ」は対話とやくされるよ。「ローグ（logue）」には、話や言葉という意味があるよ。これは次のページの「プロローグ」「エピローグ」も同じだね。

プロローグ ⇔ エピローグ

プロローグ

意味　物語のはじまりの部分、序章

使い方　この小説はプロローグからドキドキするね。

エピローグ

意味　物語の終わりの部分、終章

使い方　すばらしい演技でエピローグをかざったね。

プロローグではつまらなそうだったけど
エピローグですごく感動したよ
ぐすっ
四コママンガだけど…

劇の「プロローグ」は、開幕前に作品のテーマを暗示する前口上、「エピローグ」は最後に役者がのべる閉幕の言葉。ドラマの「エピローグ」は「エンディング」とも言うね。

マイナー ⟷ メジャー

意味
小さいこと、あまり重要ではないこと

使い方
マイナーな映画だけど、評判はいいよね。

意味
大きな、一流の

使い方
インドカレーは日本でもメジャーになったね。

ぼくはみんなが好きなメジャーな花より
マイナーな植物が好きだ…

音楽では、短調をマイナー、長調をメジャーと言うよ。マイナーチェンジとは、小さな手直しという意味だよ。アメリカの大リーグはメジャーリーグのことだ。

マジョリティ

意味 多数派、過半数

使い方 マジョリティが正しいとはかぎらないよ。

↔

マイノリティ

意味 少数派

使い方 マイノリティに配慮した言い方をしたいよね。

カエルが好きな人はマイノリティかな？

うん、苦手な人のほうがマジョリティだと思うよ！

ヒィッ

「サイレント・マジョリティ」という言葉を聞いたことがあるかな？ これは「物言わぬ大衆」とやくされて、積極的に発言しない一般大衆のことだよ。

ネガティブ ⇔ ポジティブ

ネガティブ

意味　否定的な、消極的な

使い方　あまり**ネガティブ**に考えないほうがいいよ。

ポジティブ

意味　肯定的な、積極的な

使い方　お母さんは**ポジティブ**なところがいいね。

0点を取って**ネガティブ**になるよりも

むしろぼくは可能性が無限にあるんだって、**ポジティブ**にとらえたい

「ネガティブ・キャンペーン」とは、選挙活動などで相手の欠点をアピールする手法のこと。人種や性差などの差別を改善するための行動は「ポジティブ・アクション」だよ。

ローカル

意味　地方の、その地方らしい

使い方　**ローカル**な話題はもりあがるね。

↔

グローバル

意味　世界的な、地球規模の

使い方　地球温暖化は**グローバル**な問題だね。

地域の**ローカル**な話題から

世界の**グローバル**なニュースまであつかうのがこの番組！

さて、今日は山田さんちのザリガニが脱皮しました!!

その地域特有のものを「地方色」「郷土色」といって、英語では「ローカルカラー」と言うよ。国際的に共通の基準、世界標準のことは「グローバルスタンダード」と言うよ。

メリット

意味 利点、長所、価値

使い方 早起きするとメリットがあるよね。

↔

デメリット

意味 不利益、短所、欠点

使い方 受験をするデメリットはないと思うよ。

青汁のメリットは健康にいいこと
デメリットはにがいことじゃな

「デメリット」ににた「リスク」という言葉があるけれど、「きけん」という意味があるところがちがうね。「リスクをおかす」というけれど「デメリットをおかす」とは言わないよ。

ダウンロード

意味
ネットワークを通じてデータを受け取ること

使い方
申込書(もうしこみしょ)は**ダウンロード**できるよ。

⟷

アップロード

意味
ネットワークを通じてデータを転送(てんそう)すること

使い方
写真を**アップロード**してみんなに見てもらおう。

違法(いほう)にアップロードされた動画(どうが)を
ダウンロードするのもダメだよ
わかった

電車のあみだなから荷物をおろすのがダウンロード、あみだなにあげるのがアップロードというイメージかな。ゲームをダウンロードするときは、大人に確認(かくにん)したほうが安心だね。

エクスポート ⟷ インポート

意味　輸出、輸出品

使い方　自動車などをエクスポートしているよ。

意味　輸入、輸入品

使い方　さすがインポート物はオシャレだよね。

これ
インポートものなの
また
へんなもの
買って…
イタリアから
エクスポート
しました

「エクスポート」「インポート」は、パソコン用語としては、それぞれ「ほかのアプリで読めるように出力する」「ほかのアプリで作ったデータを読めるようにする」という意味だよ。

類義語(るいぎご)クイズ❷

次(つぎ)の空(くう)らんに入る類義語(るいぎご)を下から選んでみよう。

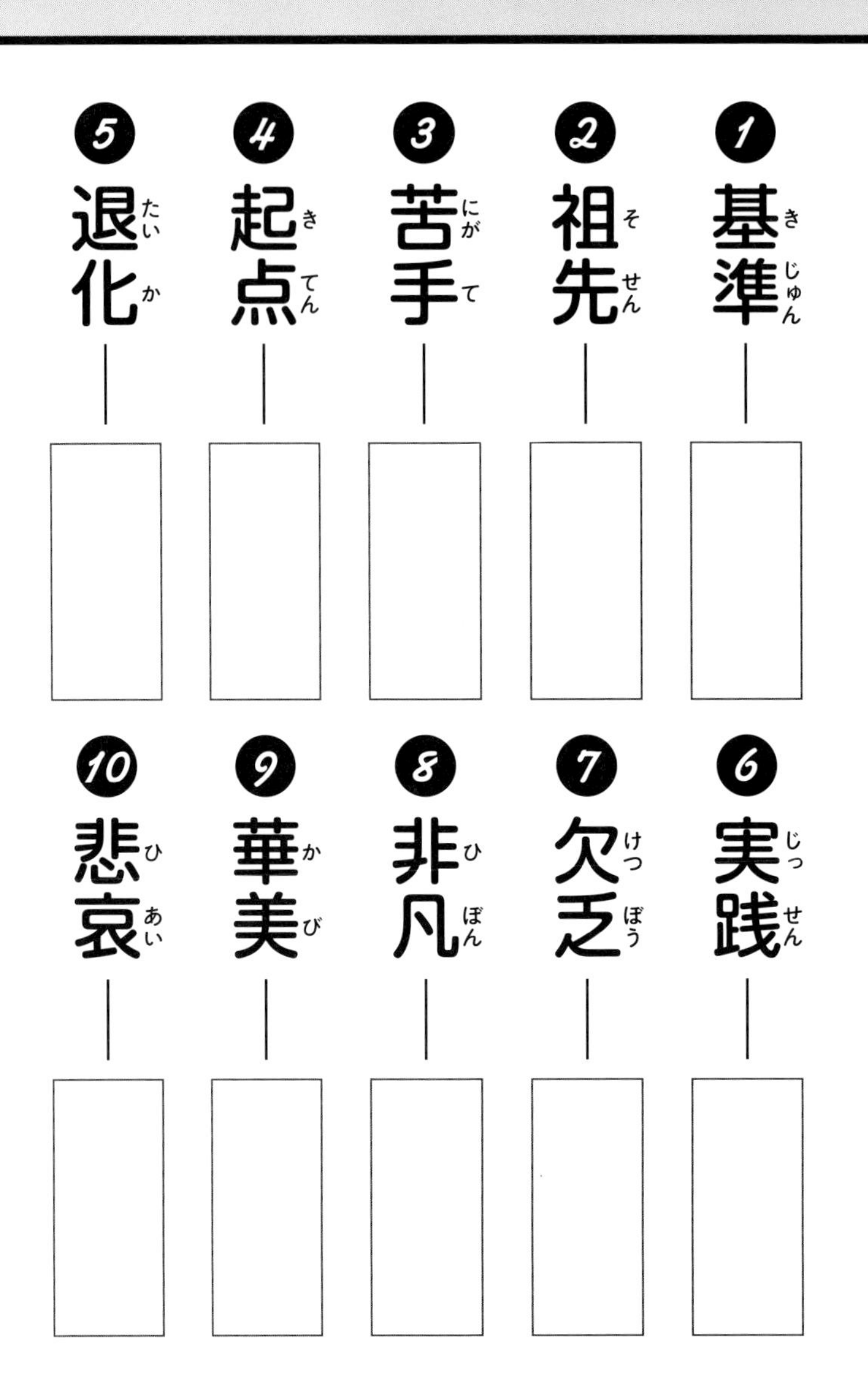

❶ 基準(きじゅん)ー□

❷ 祖先(そせん)ー□

❸ 苦手(にがて)ー□

❹ 起点(きてん)ー□

❺ 退化(たいか)ー□

❻ 実践(じっせん)ー□

❼ 欠乏(けつぼう)ー□

❽ 非凡(ひぼん)ー□

❾ 華美(かび)ー□

❿ 悲哀(ひあい)ー□

答えのコーナー

実行(じっこう)　奇抜(きばつ)　不足(ふそく)　派手(はで)　基礎(きそ)　始点(してん)　哀愁(あいしゅう)　先祖(せんぞ)　不得意(ふとくい)　退行(たいこう)

答(こた)え：①基準ー基礎　②祖先ー先祖　③苦手ー不得意　④起点ー始点　⑤退化ー退行　⑥実践ー実行　⑦欠乏ー不足　⑧非凡ー奇抜　⑨華美ー派手　⑩悲哀ー哀愁

そのほかの対義語（たいぎご）

一文字対義語

干 ↔ 満	正 ↔ 誤	新 ↔ 旧
内 ↔ 外	明 ↔ 暗	増 ↔ 減
和 ↔ 洋	天 ↔ 地	表 ↔ 裏

ここにあげたものは、それぞれ「新旧」「増減」と二字熟語でも使うよ。「加減」「勝負」などもそうだね。

やったーっ
最後のゴールが明暗を分けたな！

非のつく対義語

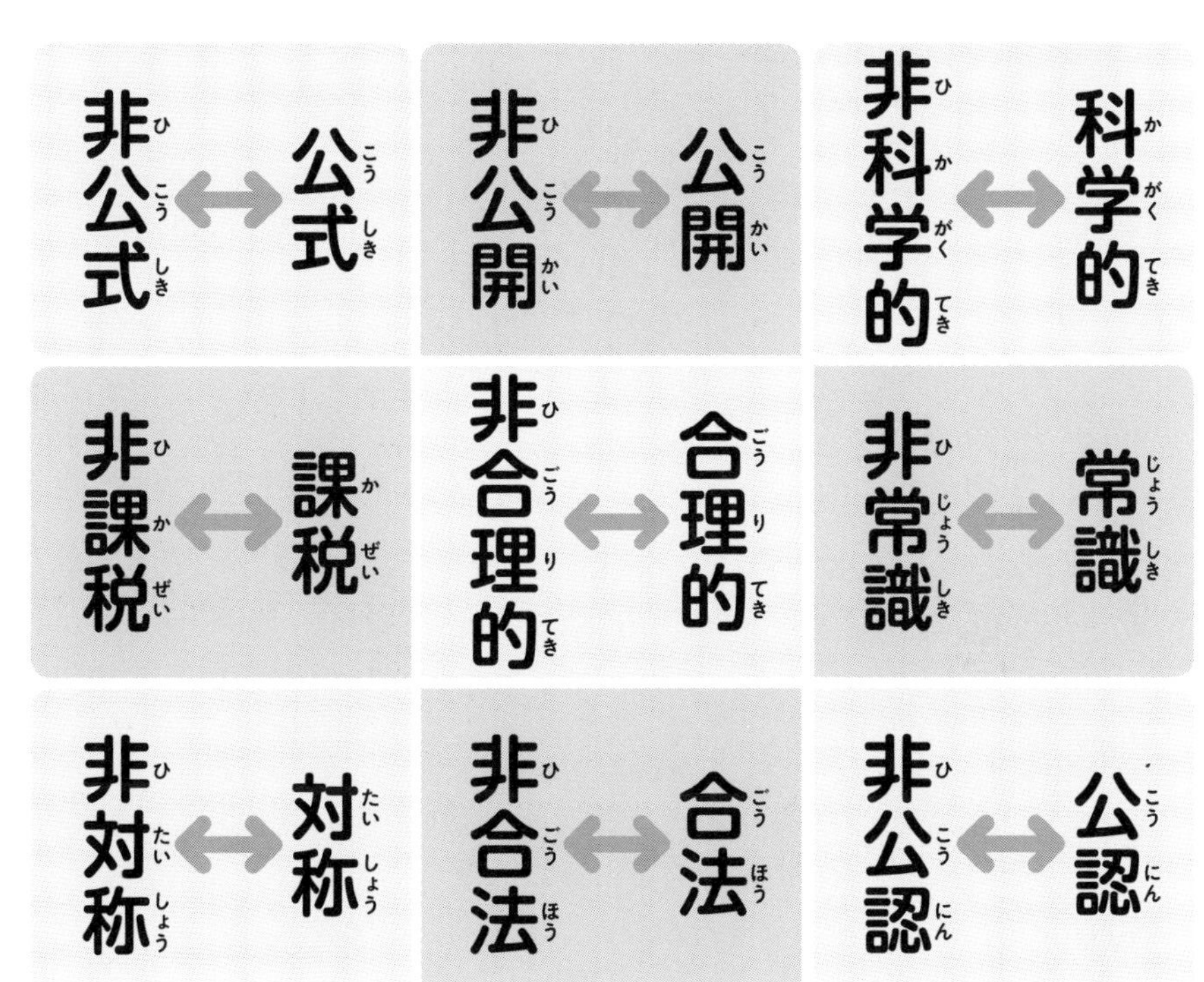

科学的 ↔ 非科学的
公開 ↔ 非公開
公式 ↔ 非公式
常識 ↔ 非常識
合理的 ↔ 非合理的
課税 ↔ 非課税
公認 ↔ 非公認
合法 ↔ 非合法
対称 ↔ 非対称

キミの常識はぼくにとっては非常識だよ…
え？たこ焼きにははちみつじゃないの？

「非」は「あらず（～ではない、あてはまらない）」という意味。「非現実的」「非日常」などもあるね。

不のつく対義語

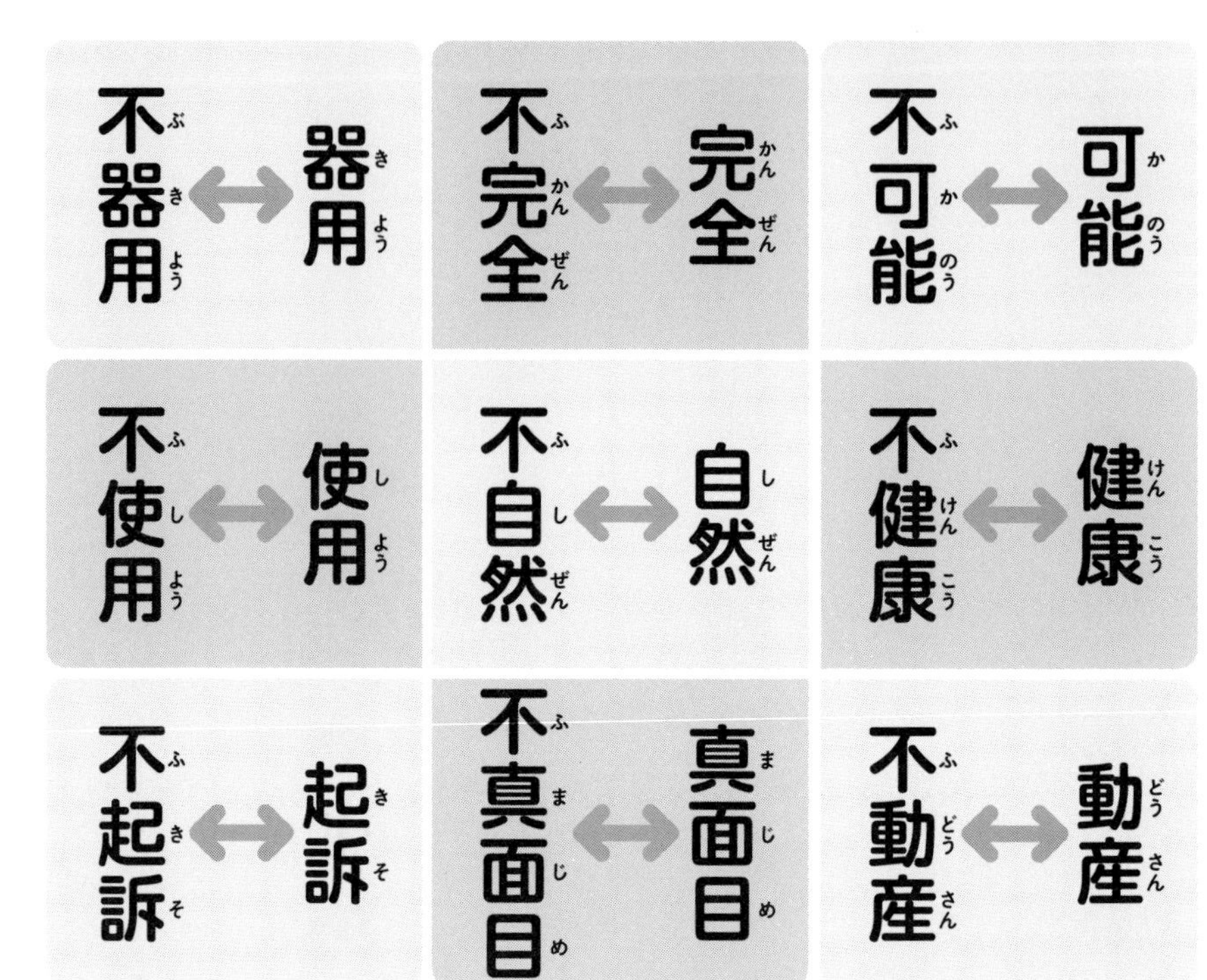

可能 ↔ 不可能
完全 ↔ 不完全
器用 ↔ 不器用
健康 ↔ 不健康
自然 ↔ 不自然
使用 ↔ 不使用
動産 ↔ 不動産
真面目 ↔ 不真面目
起訴 ↔ 不起訴

やったー!! ついに100点!!
ぼくは不可能を可能にする男なんだ!
これ、本当にいくとのテストなの!?
100

「不」は打消し（〜はない、〜がよくない）の意味。「不公平」「不一致」「不景気」「不手際」などと言うね。

未のつく対義語

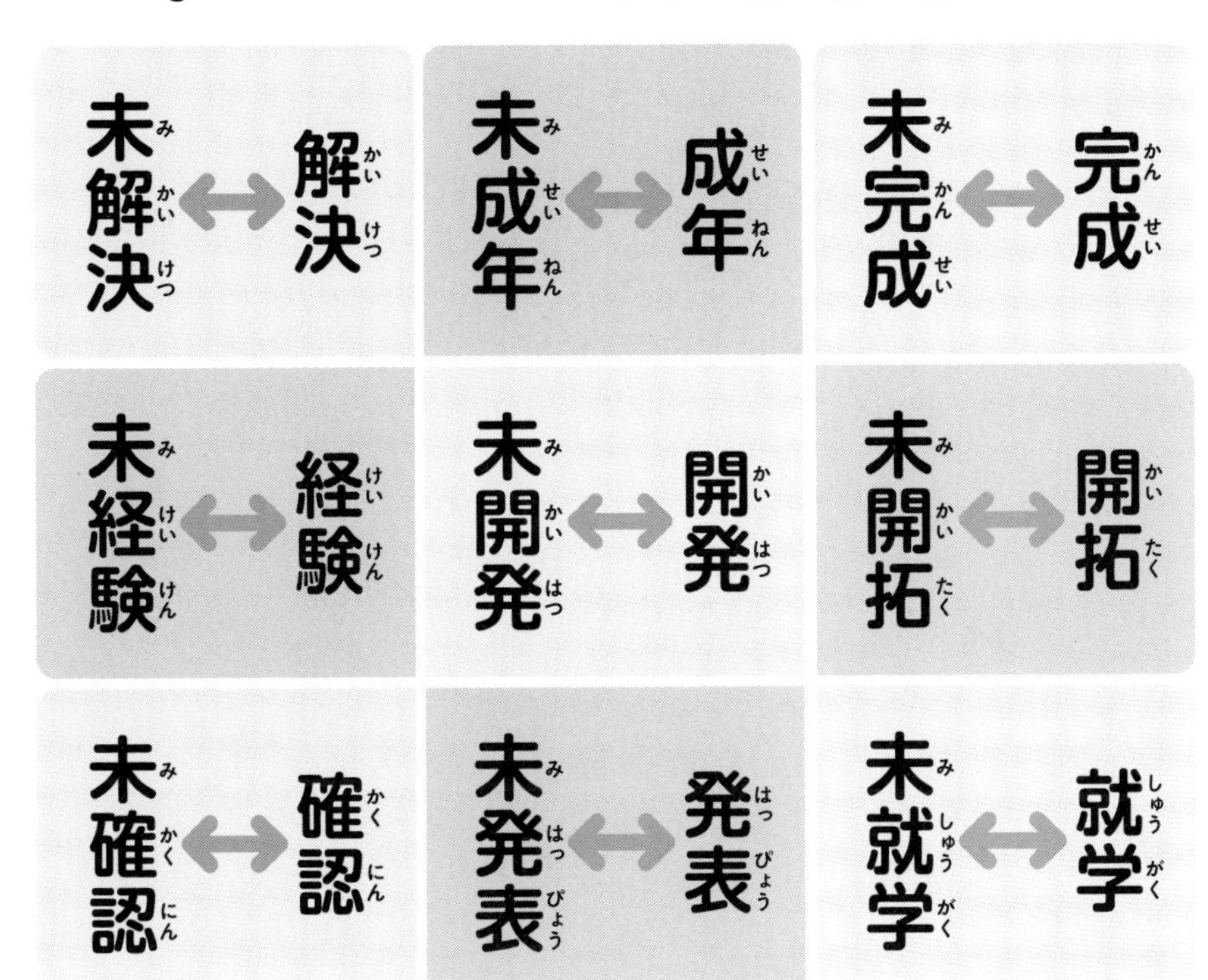

未解決 ↔ 解決	未成年 ↔ 成年	未完成 ↔ 完成
未経験 ↔ 経験	未開発 ↔ 開発	未開拓 ↔ 開拓
未確認 ↔ 確認	未発表 ↔ 発表	未就学 ↔ 就学

世紀の大スクープ!!
うちの犬が未確認生物を発見しました!

「未」は、まだ終わっていないこと、まだしていないこと。「未熟」「未納」「未遂」「未来」などがあるね。

上↔下の対義語

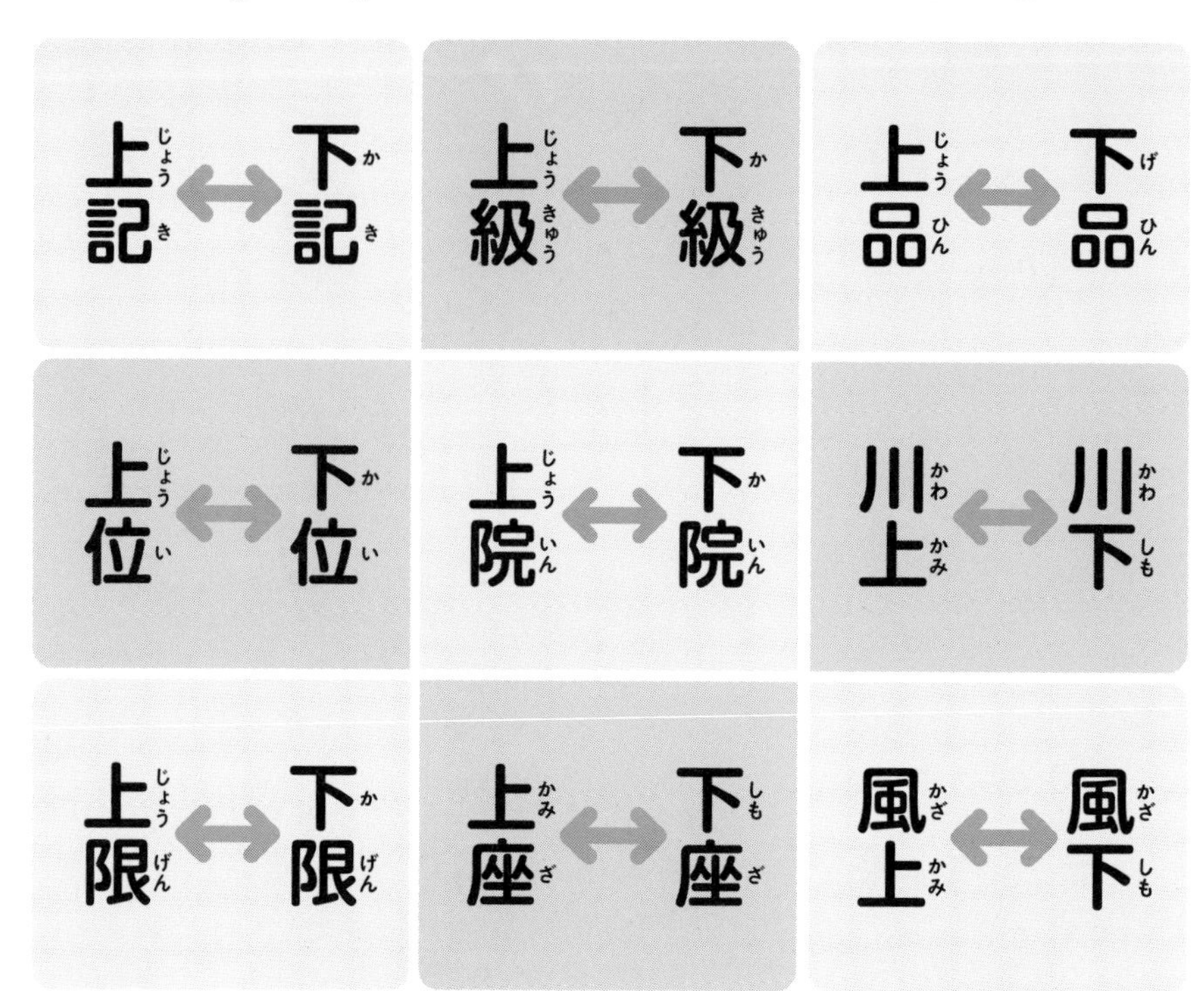
上記（じょうき）↔下記（かき）
上級（じょうきゅう）↔下級（かきゅう）
上品（じょうひん）↔下品（げひん）
上位（じょうい）↔下位（かい）
上院（じょういん）↔下院（かいん）
川上（かわかみ）↔川下（かわしも）
上限（じょうげん）↔下限（かげん）
上座（かみざ）↔下座（しもざ）
風上（かざかみ）↔風下（かざしも）

上着とズボンやスカートなど、スーツのことを「上下（じょうげ）」と言うよ。「黒の上下（じょうげ）」は、黒のスーツのことだね。

ぼくたちの上下関係（じょうげかんけい）…
ぐいぐい

公↔私の対義語

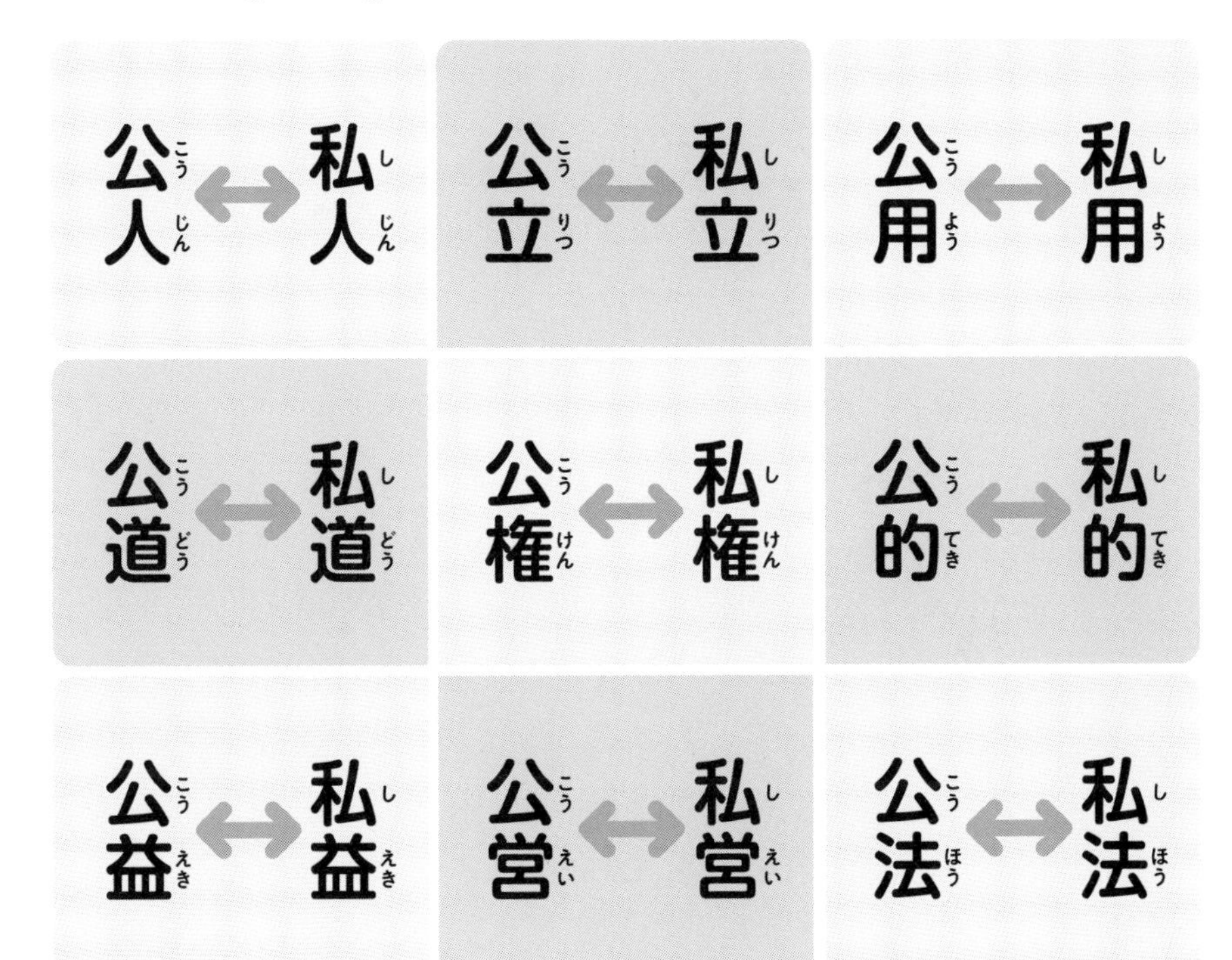

公人↔私人	公立↔私立	公用↔私用
公道↔私道	公権↔私権	公的↔私的
公益↔私益	公営↔私営	公法↔私法

「公私」は、「公私にわたってお世話になる」「公私混同する」「公私のけじめをつける」というふうに使うよ。

ここまでが公道!
ここからが私道!
だからこの道は通らないで!!
通りぬけ禁止

前⟷後の対義語

前方⟷後方	前半⟷後半	前進⟷後退
前輪⟷後輪	戦前⟷戦後	前任⟷後任
前厄⟷後厄	事前⟷事後	午前⟷午後

話の順序がぎゃくになることを「話が前後する」と言うよ。「一万円前後」は、一万円くらいという意味だね。

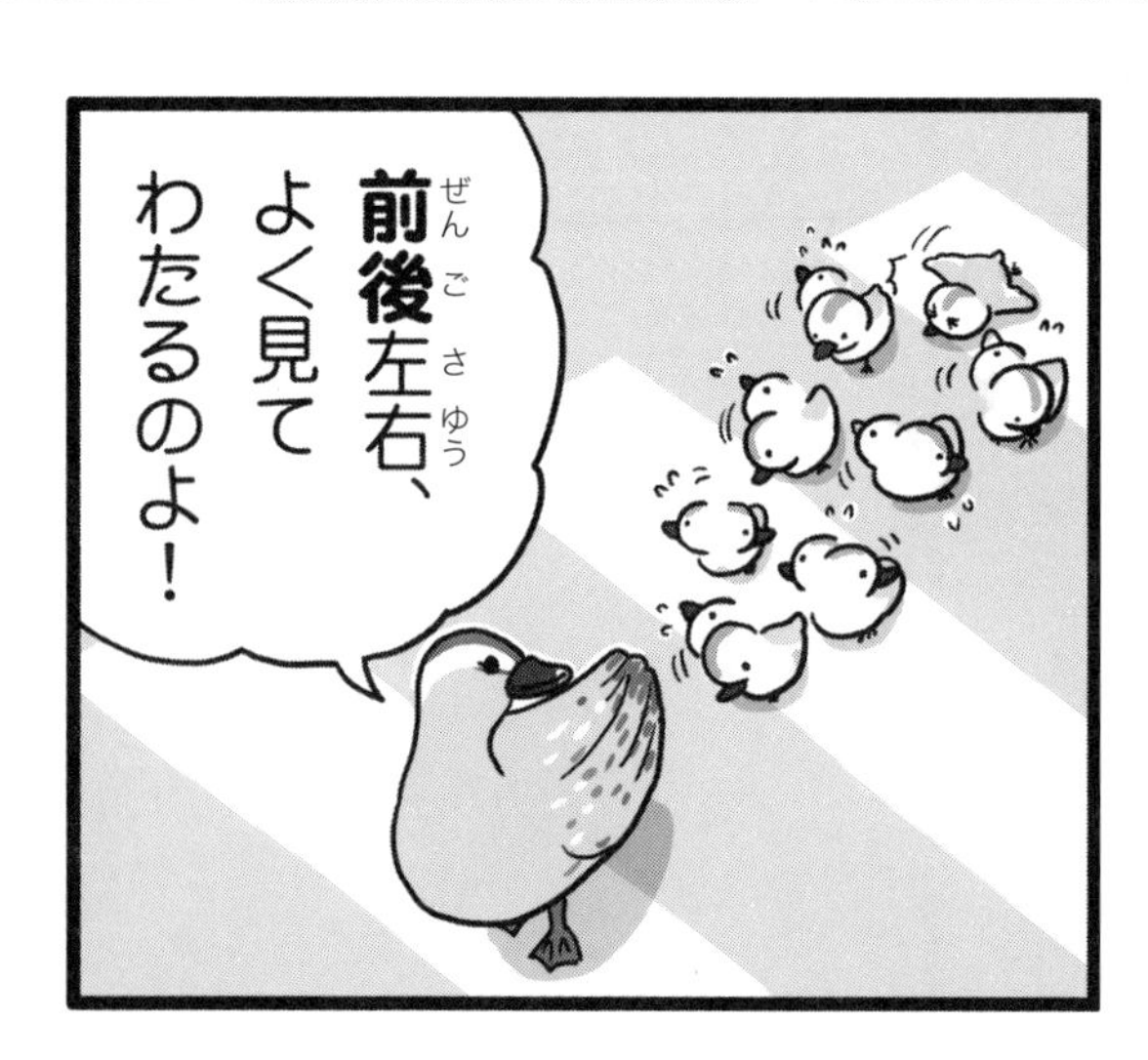
前後左右、よく見てわたるのよ！

入↔退の対義語

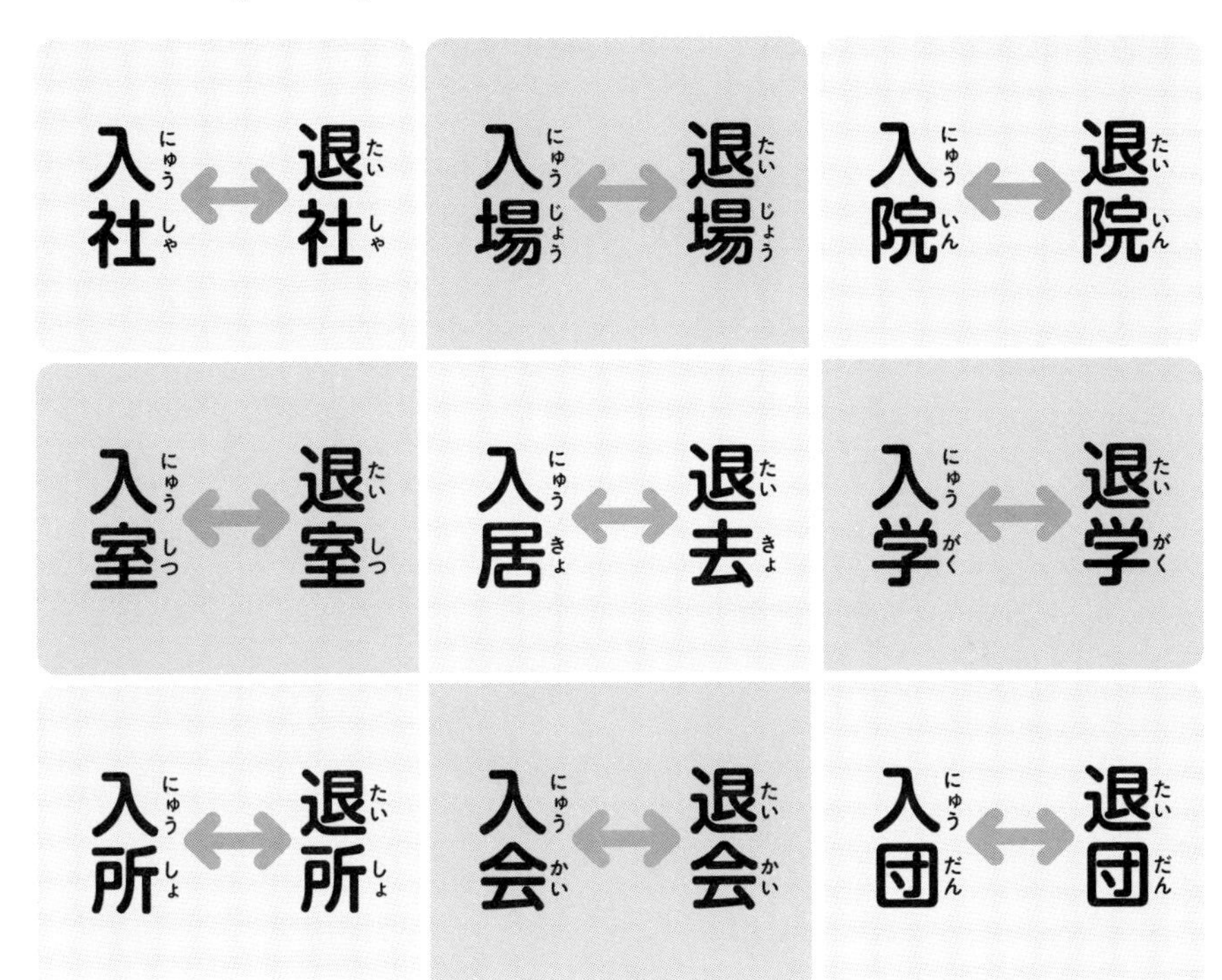

入社↔退社
入場↔退場
入院↔退院
入室↔退室
入居↔退去
入学↔退学
入所↔退所
入会↔退会
入団↔退団

ここはぼくが入居中だよ！
はやく退去してよ～
その貝がらすてきなんだもんっ

「退去」は立ちのくことで、「アパートを退去する」と言うよ。「退居」は世間からはなれるという意味だよ。

入⟷出の対義語

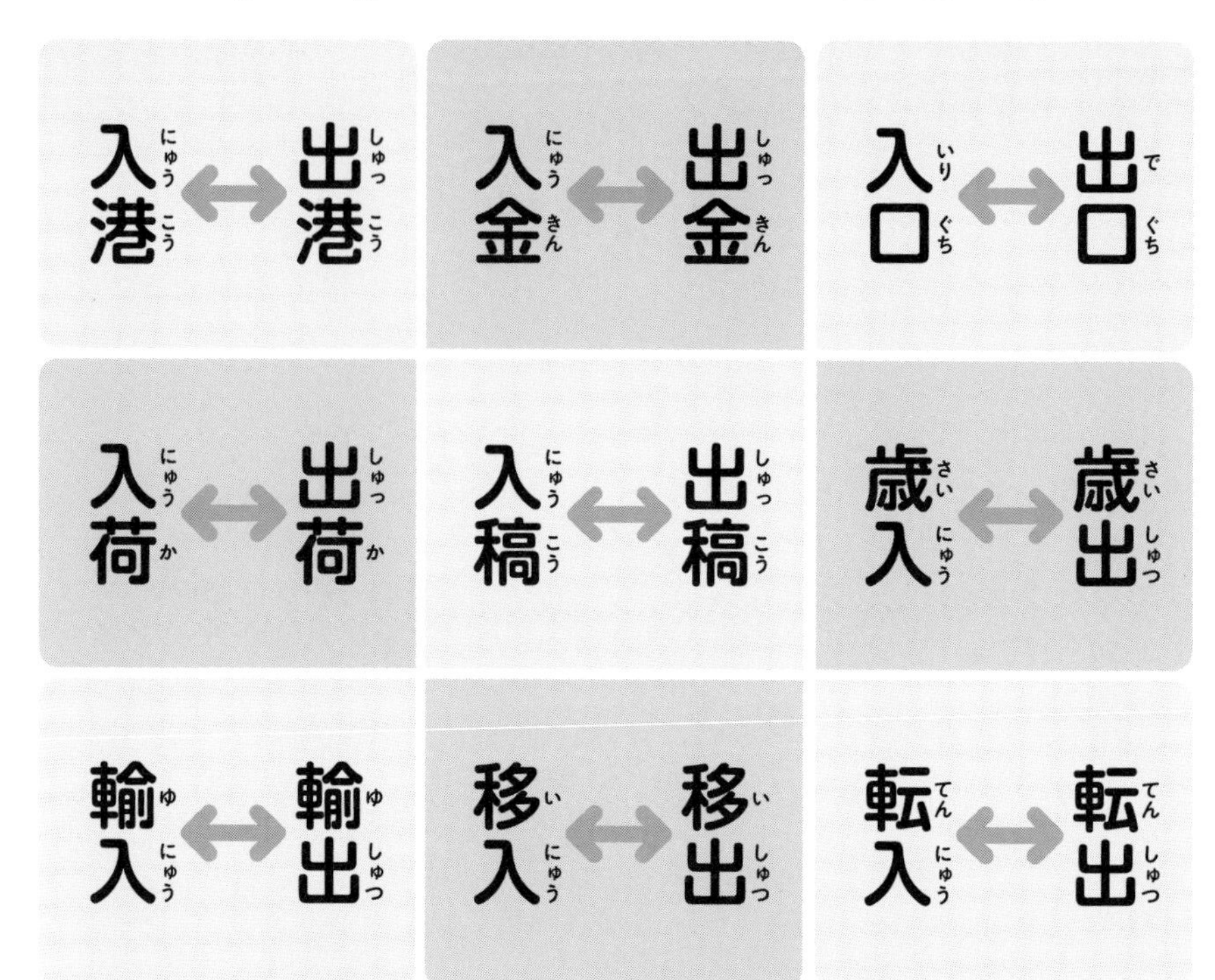

入港⟷出港	入金⟷出金	入口⟷出口
入荷⟷出荷	入稿⟷出稿	歳入⟷歳出
輸入⟷輸出	移入⟷移出	転入⟷転出

「人の出入りが多い家」は来客の多い家。「今月は出入りが多い」と言えば、お金の出入が多いということ。

このおばけやしきは出入口がいっしょです
あ～こわかった～
こわそうだな～
おばけやしき
出入口

高↔低の対義語

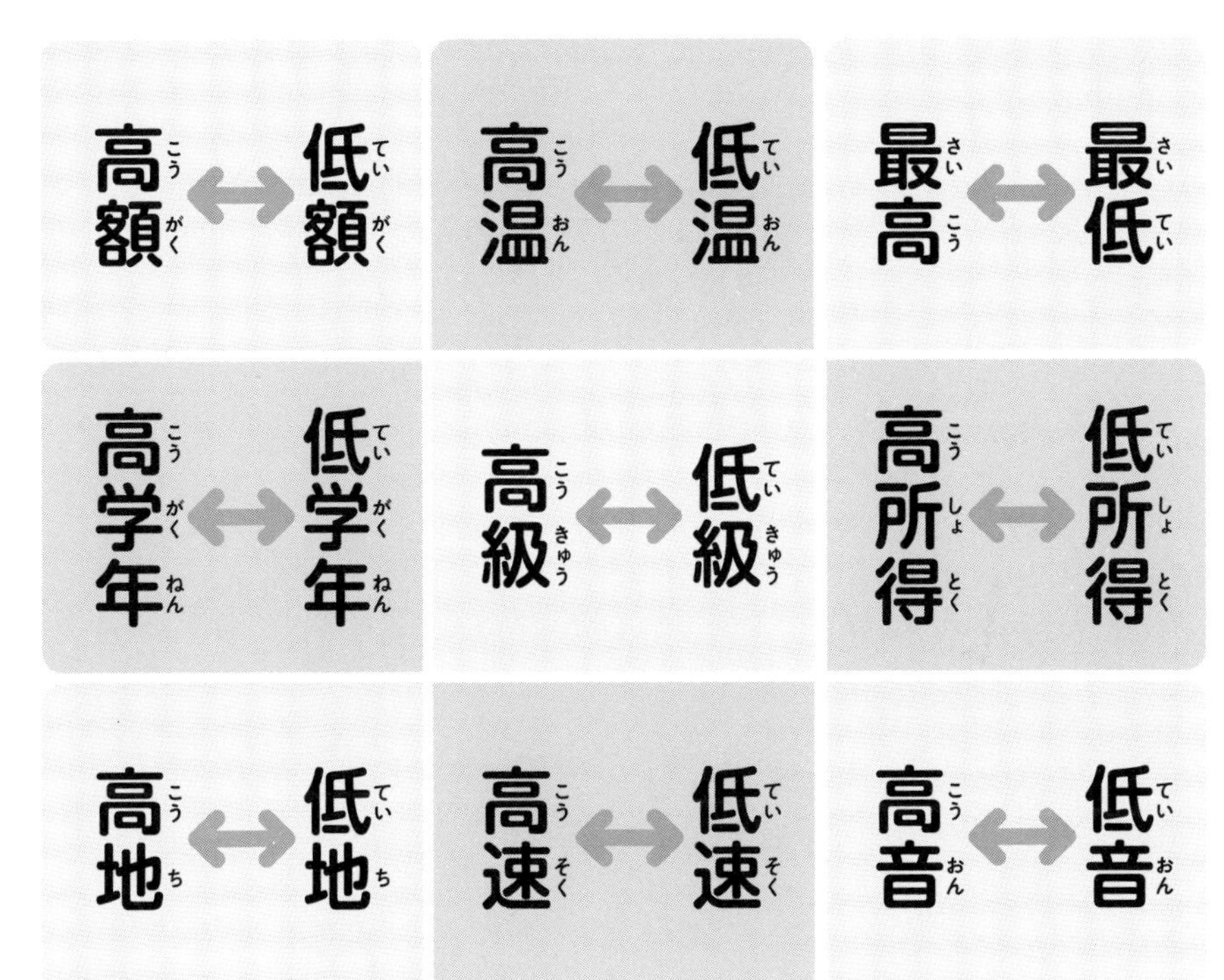

高額↔低額	高温↔低温	最高↔最低
高学年↔低学年	高級↔低級	高所得↔低所得
高地↔低地	高速↔低速	高音↔低音

「高」「低」は高度だけでなく、ものごとのていどや度合い、温度、身分、音、価格などはば広く使われるね。

高低差のある道でたいへん！

おわりに

最後まで読んでみて、この本ではじめて知った言葉はどのくらいあったかな？

また、明日からすぐに使ってみたくなった言葉は、どれだろう？

言葉は使ってこそ身につくもの。友だちや家族との会話の中で、新しく知った言葉をどんどん使っていこう！

フランスの哲学者パスカルは、「人間は考える葦である」という言葉を残したよ。これは、大自然の中で人間はちっぽけな葦（水べの草）のような存在だけど、「考える」というすばらしい能力があるという意味。

「考える」ことの原点には、「二項対立（二つのものごとを比較する）」があるんだ。

たとえば「自由」とは何か？　と考えるときに、「自由とは、自由……、自由……」と言っていてもどうにもならない。そこに、対義語の「束縛」をおくことによって、「自由とは、束縛されない（しばられない）こと＝思い通りにできること」という意味がはっきりしてくるね。

また、「思い通りにできること」の類義語は何かと考えると、「自在」という言葉がうかんでくるよね。

つまり、対義語・類義語があるおかげで、世界がとらえやすくなるんだ。

こんなふうに、ふくざつなことを考えるには、たくさんの言葉を知っておいたほうがいい。

この本でたくさんの対義語・類義語を知り、キミの考えをどんどん深めていこう！

そして、作文や感想にも活かしていこう！　そうすることによって考え方はもちろん、表現のはばもうんと広がるよ。

齋藤孝

齋藤孝

1960年生まれ。東京大学法学部卒業。同大学院教育学研究科博士課程を経て、明治大学文学部教授。専門は教育学、身体論、コミュニケーション論。著者に『これでカンペキ！　マンガでおぼえる』シリーズ、『子どもの日本語力をきたえる』など多数。NHK Eテレ「にほんごであそぼ」総合指導。

編集協力
佐藤恵

ブックデザイン
Permanent Yellow Orange

イラスト
石塚ワカメ

これでカンペキ！
マンガでおぼえる
読解力があがる
対義語・類義語

発行日　2021年11月30日　第1刷発行

著者　齋藤孝

発行者　小松崎敬子

発行所　株式会社 岩崎書店
東京都文京区水道1-9-2
〒112-0005
電話　03(3812)9131[営業]
03(3813)5526[編集]
振替　00170-5-96822

印刷所　株式会社光陽メディア

製本所　株式会社若林製本工場

Published by IWASAKI Publishing Co.,Ltd.
Printed in Japan
ISBN978-4-265-80263-0　NDC810

岩崎書店ホームページ　https://www.iwasakishoten.co.jp
ご意見をお寄せください　info@iwasakishoten.co.jp